14-371

L'AFFAIRE JÉSUS

HENRI GUILLEMIN

L'AFFAIRE JÉSUS

ÉDITIONS DU SEUIL
*27, rue Jacob, Paris VIe*

ISBN 2-02-006113-9

© ÉDITIONS DU SEUIL, MARS 1982

La loi du 11 mars 1957 interdit les copies ou reproductions destinées à une utilisation collective. Toute représentation ou reproduction intégrale ou partielle faite par quelque procédé que ce soit, sans le consentement de l'auteur ou de ses ayants cause, est illicite et constitue une contrefaçon sanctionnée par les articles 425 et suivants du Code pénal.

AVANT-PROPOS

Que Malraux, dit-on, vaticine : *« Le XXIe siècle sera religieux ou ne sera pas »,* de longue date ses sentences de théâtre ont perdu pour moi tout intérêt. Et que Ionesco profère quelque chose de semblable, c'est également insignifiant. Mais le fait est que, selon Jacques Ellul, incontestable chrétien, et qui ne cache pas son agacement, un *« déluge religieux* [en librairie] *nous accable »,* un déluge que je vais encore, pour ma modeste part, amplifier. S'élèvent d'ailleurs, en face, de vives protestations anti (je dis bien *anti,* pas *ante*) antidiluviennes. Des éclairés — réflecteurs des « Lumières » voltairiennes et, comme disait Jean-Jacques, *« holbachiques »* — s'indignent, dénonçant un dangereux *« retour du sacré »,* une offensive, *« rétro »,* des superstitions déplorables dont on avait pu croire que nous avaient à jamais délivrés les grands penseurs du XVIIIe siècle. Et se multiplient des avertissements quant au péril que fait courir à l'humanité le renouveau d'influences barbares.

Inversement d'étranges collusions s'opèrent. Trois

membres de l'Institut, affranchis des sottises chrétiennes et fort peu, jusqu'alors, amis du clergé, se sont montrés l'un après l'autre douloureusement soucieux du destin de l'Église. Vatican II les a peinés. Guéhenno confiait à Mauriac (le *Bloc-Notes* en fait foi) sa tristesse alarmée. Raymond Aron, juif incroyant et qui avait connu, en 68, un effroi sans nom, au point d'en vouloir furieusement à de Gaulle pour son allocution conciliante — et vaine — du 24 mai (ce général mué en ombre d'une ombre, en fantôme, en ectoplasme ! s'écriait notre homme pour qui l'usage de la force était l'unique et nécessaire recours à l'égard des trublions), Raymond Aron, dans son interview d'octobre recueillie par Alain Duhamel — un parfait ami politique —, gémissait sur cette Église navrante, oublieuse (avec Mgr Marty, sans doute) de ses traditions conservatrices, et qui, disait-il, *« s'interroge et parfois se renie »*. Le plus attendrissant fut M. Lévi-Strauss ; certes, il avait cru devoir se déclarer publiquement pompidolien de choc ; certes, revêtir l'uniforme du Quai Conti avait été pour lui une béatitude, mais je ne m'attendais pas de sa part à cette déclaration que l'on a pu lire dans *la Croix* du 24 janvier 1980 : *« Ce qui se passe dans l'Église depuis le dernier concile me trouble* [etc.]. » Assez comiques, non ? ces agnostiques tout à coup qui volent au secours de l'intégrisme.

Beaucoup plus sérieuse et, pour moi, faisant problème, l'hostilité viscérale, la haine que le christianisme suscite chez des gens dont l'intelligence et la droiture forcent l'estime. Lénine voyait dans « la religion » *« ce qu'il y a de plus répugnant au monde »*. Je me rappelle une rencontre, en 1946, avec Merleau-Ponty où je pus mesurer non seulement le mépris mais l'exécration qu'il portait à la foi. Je connais, je connais de près, des hommes — des femmes aussi — qui font tomber devant moi une herse ou, si l'on préfère, qui dressent un mur de glace dès que la conversation s'oriente sur des sujets où risque d'intervenir le mot « Dieu ». A l'origine de cette attitude, parfois, d'odieux souvenirs d'enfance et d'éducation, des expériences intolérables. Pas toujours. D'où vient donc alors cette extrême aversion ? La religion considérée comme une aliénation de nous-même, comme un barrage qu'il faut absolument détruire dans cette quête du bonheur qui est notre raison d'être ? Ou plus simplement l'irritation, l'exaspération d'esprits libres en présence de l'accueil fait par les croyants à des absurdités mythologiques ? D'où l'idée qu'il ne peut s'agir, chez les chrétiens, que d'imposture ou de soumission stupide, révoltante. Je ne crois pas à l'imposture de François d'Assise, ni de Fénelon, et j'aurais du mal à tenir pour des imbéciles et Chateaubriand et Mauriac et Blondel et Bernanos et Teilhard de Chardin et Sulivan — et, présentement, Congar, Chenu, Légaut, Delumeau [1].

Il me paraît difficile de prendre Voltaire pour un sauveur, Voltaire qui qualifia Jeanne d'Arc de *« malheureuse idiote »* et qui donnait pour insurpassable l'organisation sociale de la Chine où, disait-il dans son *Essai sur les mœurs, « le petit nombre fait travailler le grand*

1. Si je choisis ces noms-là, c'est que, dans le corps de cet ouvrage, j'utiliserai des formules de ces auteurs, me bornant à des guillemets et des italiques pour épargner au lecteur les références en bas de page sans m'attribuer ce qui vient d'autrui.

nombre, est nourri par lui, et le gouverne». A la bonne heure ! J'entends bien qu'en conséquence les nantis de 1791 décidèrent de porter au Panthéon, au cours d'une cérémonie triomphale, les « cendres » de ce sage, mais je comprends aussi qu'à cette nouvelle Marat ait bondi. L'apôtre de la Tolérance, qui consacre à cette vertu un traité solennel, félicitait en même temps Catherine II de mener comme il convenait, c'est-à-dire par le fer et par le feu, les « christicoles » de Pologne, tous hydrophobes, et atteints selon lui du *« mal de Palestine »,* autrement dit de la vérole chrétienne. Il faut savoir que le seigneur de Ferney conseilla explicitement aux gouvernants genevois de prendre à l'égard de J.-J. Rousseau *« une mesure qui mette fin à l'audace d'un scélérat » ;* et Voltaire précisait, dans son *Sentiment des citoyens* (anonyme) : c'était bien la peine « capitale » qu'il recommandait aux banquiers et administrateurs de Genève pour se délivrer — et le délivrer en même temps — d'un malfaiteur capable de troubler l'ordre public avec ses remarques insanes sur l'oppression des pauvres et qui, en même temps, entravait de manière cruelle l'œuvre des *« bons travailleurs »* occupés à extirper d'Europe *« la religion du Pendu » ;* n'avait-il pas osé écrire que, *« de tous les livres qui existent, un seul est nécessaire »,* l'Évangile ? A mort !

La morale de *Candide* est d'une limpidité parfaite. La société est une jungle et le monde un chaos. Que les malins gagnent. Il n'y a, dans l'ordre social, que deux classes, celle qui tient *« le marteau »* et celle qui sert d' *«enclume».* Toute l'astuce du *« mondain »* — c'est le terme que Voltaire adopte pour remplacer celui, précédent, d' *« honnête homme »,* fâcheusement entaché de crédulité —est de s'arranger pour faire partie des habiles qui manient le marteau. Et l'on saluera l'audace— un de ces actes dont l'accumulation lui coûtera la vie—, l'audace avec laquelle Robespierre, le 18 Floréal avait défini en toute exactitude la doctrine interne de «la secte» (Voltaire et son groupe) : *«cette espèce de philosophie pratique qui, réduisant l'égoïsme en système, considère la société comme une guerre de ruse, le succès comme la règle du juste et de l'injuste, le monde comme le patrimoine des fripons adroits.»*

Le christianisme aujourd'hui rencontre surtout l'indifférence. Qu'on ne nous ennuie plus avec ces histoires de l'autre monde ! L'important est ailleurs. Un maréchal de France, contesté dans sa politique, et qui passa en prison son ultime vieillesse, ne cachait pas à son geôlier (lequel recueillit avec déférence la moindre de ses paroles) qu'au bout du compte l'existence humaine n'avait d'intérêt véritable que pour ces deux avantages qu'elle offrait : bouffer, baiser. La plupart de nos contemporains pratiquant avec ardeur le *«divertissement»* diagnostiqué par Blaise Pascal *«dorment leur vie».* La question de Gauguin, *«D'où venons-nous ? Qui sommes nous ? Où allons-nous ?»,* est la dernière de leurs préoccupations. Je me trompe. Non pas la dernière. Absente ; entièrement absente. On se débrouille ; on ignore *Candide,* mais on applique sa méthode : chacun pour soi dans un monde où tout n'est que rapport de force. Le but est l'aisance et ses facilités. D'Holbach disait vrai lorsqu'il affirmait, bien avant Marx, qu'aux yeux de certains réalistes *«la religion est l'art d'enivrer les hommes pour les détourner des maux dont les accablent ceux qui les gouvernent».* Technique dont la France connut, au lendemain de 1848, une vaste utilisation. Cet *« opium »*-là a beaucoup perdu désormais de son efficacité. Mais, pour « divertir » la masse des assujettis, *la dis-traire* au sens fort du mot, l'empêcher de s'occuper de ce qui la regarde et la réduire au rôle docile qu'on lui assigne, le pouvoir et ses auxiliaires disposent d'autres ressources, infaillibles : les compétitions sportives, le tiercé, le loto, la vie privée des vedettes, les mariages princiers, l'érotisme, l'histoire correctement racontée, avec au premier plan, bien entendu, l'inusable légende napoléonienne. Les mêmes drogues ont leur emploi pour le « divertissement » capital. Simone de Beauvoir prétend que la seule existence de l'homme *« met le monde en question ».* Allons donc ! Tout est si banalement limpide : on vit, et on tente d'en jouir le mieux possible ; les problèmes sont de plaisir et d'argent. Tel arrachement nous fait un instant sursauter, puis on se rendort et arrive, lente ou brusque, la fin du parcours ; voilà tout ; c'est comme ça ; où est l'énigme, je vous le demande ? Il faut un Sartre — autre compliqué — pour s'insurger quand on lui conseille de ne plus penser au sens que peut avoir notre destin et pour s'écrier, comme il le fit, au mois de mars 1980, quelques semaines avant de mourir : *« Alors, à quoi bon vivre ? »* Songeant au repos de la tombe, Laforgue, lassé, soupirait : *« O Canaan / Du bon néant ! »* Et Zola imaginait Lazare couvrant de reproches ce Christ qui l'avait ressuscité : Enfin je n'étais plus ; délivrance ; et vous voulez que tout recommence pour moi, encore une fois, encore une fois... Quelle injustice ! Mais le même Zola ne pouvait s'empêcher d'attribuer un sens à la vie, *« pierre apportée à l'œuvre lointaine et mystérieuse».* Parce qu'il réfléchissait trop, lui aussi; parce qu'il n'était pas assez raisonnable — comme l'était de son côté ce Jean Rostand qui déclarait trouver *« insupportable de vivre perdu dans un univers énigmatique».* Vraiment? Drôle d'idée.

Et me voici avec ma rhapsodie sur ce Jésus dont le nom, sur un mur, sur une affiche, sur la couverture d'un livre, provoque chez bon nombre de contemporains un réflexe d'impatience, de dégoût et de fuite. Le personnage évoque un fastidieux «folklore», des légendes infantiles. Je vois, à côté de moi, tout près de moi, de jeunes cœurs élevés, comme on dit, «dans la foi» et qui, sans éclats, sans paroles, ont changé de route; et je sens leur affectueuse pitié, leur tendresse indulgente pour le vieillard toujours captif de son passé. Incurable, en effet, je persiste à croire, et je crois, plus que jamais, à l'intérêt, à la valeur, à l'importance libératrice de ce qu'enseigna, parmi nous, le Nazaréen.

Ces pages, simplistes peut-être, ne sont ni d'un spécialiste de l'exégèse, encore moins d'un théologien, mais d'un chrétien quelconque, médiocre témoin d'une espèce en voie de disparition, et qui a cherché, avant tout, à bien savoir, à bien comprendre. La «littérature du sujet» est démesurée. Je suis loin d'avoir tout lu. Qui l'a jamais fait? Mais la liste est longue des volumes, consacrés au Nazaréen, qu'en un demi-siècle j'ai étudiés, scrutés, analysés. La *Revue biblique* n'a cessé de m'instruire. Hans Küng? Je me garderai de toute référence à ce banni. En revanche, je dois beaucoup à un ouvrage, paru chez Desclée en 1979, *Jésus et l'Histoire,* dont l'auteur, Ch. Perrot, professeur d'exégèse et de théologie du Nouveau Testament à l'Institut catholique de Paris, n'est exposé à aucune censure, tant son travail est conduit dans un esprit de stricte fidélité doctrinale. Il veille si bien à se montrer discipliné qu'il croit nécessaire de déclarer *« fort estimable »* (*« en son genre »,* ajoute-t-il toutefois) le *Jésus en son temps* de Daniel-Rops qui bénéficia d'abondantes recommandations ecclésiastiques — fort naïves, du reste, car il s'agissait là d'une entreprise toute commerciale, Daniel-Rops avouant parallèlement, mais en confidence, à J.-M. Paupert qu'il se sentait, pour sa part, *« assez bultmannien ».* Et de même Ch. Perrot traite (avec la nuance sévère qui convient) de *« livre à succès »* l'ouvrage autrement notable de Dodd, *le Fondateur du christianisme* parce que Dodd eut droit, en haut lieu, à quelques froncements de sourcil.

Je me sépare de Perrot sur quelques points, que j'indiquerai. Mais son livre, remarquablement informé, ne m'en paraît pas moins d'un grand prix.

I

LE NAZARÉEN

« L'affaire Jésus » ; ces mots sont de Péguy, dans *Clio.* Il s'agissait de l'affaire Dreyfus au sujet de laquelle Péguy, jadis intraitable, était prêt, en 1914, à se réconcilier avec les antisémites ; et il ajoutait : *« Il n'y a qu'une affaire sur laquelle nous sommes sûrs qu'on ne se réconciliera jamais* [...], *c'est l'affaire Jésus. »*

La formule peut avoir deux sens. Sous son aspect strict, elle signifie qu'il y eut à Jérusalem, au début de notre ère, un certain procès, bâclé, et suivi d'une exécution immédiate. Les disciples du condamné réclamèrent la « révision » de son affaire, révision que le judaïsme a toujours refusée. D'une manière plus large : « l'affaire Jésus » est celle du christianisme et de ce *« signe de contradiction »* que fut et demeure parmi nous le Nazaréen.

Le christianisme n'est pas une sagesse abstraite, comme le stoïcisme, par exemple. Son nom même atteste qu'il se rattache directement à quelqu'un, son *«fondateur»,* quelqu'un dont l'appellation réelle, dans son pays natal, la Palestine, était Ieschoua[1] (d'où la traduction grecque, Iézos ; la traduction latine, Iésous ; en français : Jésus) mais en qui ses disciples virent celui que l'on attendait, porteur de l'onction divine, le Messie, en hébreu Mashia, en grec Kristos, en latin Christous et dont nous avons fait : Christ. Titre de fonction qui recouvrit le nom propre banal et s'y substitua au point que, pour Tacite comme pour Suétone, Christous était le nom même du thaumaturge vénéré. Puisqu'un être concret se trouve à l'origine du christianisme, il importe donc, semble-t-il, de savoir à quoi nous en tenir quant aux faits et gestes, aux actes et paroles de ce Iézos réputé Kristos, Iésous le Christous, devenu Jésus-Christ. D'autant plus indispensable, cette enquête[2], que la réalité historique du personnage a été mise en question. Tardivement, il est vrai, et pas avant le XVIIIe, semble-t-il[3]. Je me souviens —j'étais à l'École normale— du bruit que souleva, en

1. Les fouilles archéologiques, en Palestine, ont révélé les sépultures de nombreux Ieschoua, le nôtre était dit, pour l'identification familiale : *Ieschoua ben Iosef.*

2. Ch. Perrot —et c'est là un de mes désaccords avec lui— dédaigne et condamne ce que l'école dont il relève appelle *«l'historicisme»,* répudiation qui serait la loi première d'une saine théologie. Je sais bien qu'après sa «résurrection» ses disciples eurent de lui une image différente de celle qu'il leur avait laissée à sa mort. Mais de nombreux détails subsistent dans les Évangiles de l'homme qu'on avait connu d'abord, de l'homme *«vrai homme»* dont la parfaite nature humaine est, pour les chrétiens, un article de foi.

3. Napoléon disait à Bertrand, à Sainte-Hélène, qu'à son avis Jésus n'avait jamais existé.

1924, l'ouvrage de Couchoud, orné d'un titre pascalien : *le Mystère de Jésus.* Il y était dit que toute la légende du Nazaréen était née (sans du reste que l'on comprît bien comment) d'un conte lyrique, émouvant mais imaginaire, peu à peu transformé en narration prenant valeur de chronique, se muant en une relation d'événements qui n'avaient, au vrai, jamais eu lieu. En 1932, un prêtre qui avait quitté l'Église, Alfaric, prononçait puis publiait une conférence documentée ; *« Jésus a-t-il existé ? ».* Réponse : Non. C'était une reprise, différente dans sa démarche, mais la même dans ses conclusions, de l'opération Couchoud. Or l'année suivante, 1933, paraissait le *Jésus* de Guignebert, travail massif d'un rationaliste comme Alfaric, mais qui estimait impossible de soutenir l'inexistence historique du Nazaréen. De toute évidence, selon Guignebert, ce Ieschoua dit Kristos avait bien vécu, parlé, agi en Palestine, sous Tibère, pour finir crucifié à Jérusalem, encore qu'il n'eût rien de commun, assurément, avec les affabulations évangéliques. Même s'il fallait en croire ceux qui, un peu vite, tiennent pour « interpolée » la précision de Tacite, concernant Ponce Pilate, et même en admettant, ce qui est encore plus difficile, l'inauthenticité de l'allusion faite par Flavius Josèphe à Jacques *« frère de Jésus, le prétendu Messie*[1]*»* reste — le Talmud l'éta-

1. Dans le numéro 11 de la revue *Raison présente* (juill.-septembre 1969), on a pu lire le témoignage d'un membre de l'Union rationaliste, Robert Joly, professeur à l'Université libre de Bruxelles et peu suspect de complaisance à l'égard de l'exégèse chrétienne ; R. Joly est convaincu, quant à lui, que le fameux texte de Tacite n'a pas été surajouté ; il observe, en outre, que dans les polémiques de l'Antiquité *« rien n'a jamais été dit qui puisse*

blit— que les rabbins, tout en niant avec violence le caractère messianique du Nazaréen, n'étaient même pas effleurés par l'idée d'une fabrication artificielle de son aventure. S'ils avaient pu dire aux chrétiens : « Mais taisez-vous donc ! Votre Christous n'est qu'une invention », ils auraient ressassé cet argument décisif. Ils n'y songent point. Joseph Klausner était professeur à l'université de Jérusalem quand il publia, en hébreu moderne, et la même année que Guignebert, son travail sur ce Jésus dont il ne met pas en doute un instant la réalité historique. La thèse des Couchoud et des Alfaric est aujourd'hui entièrement impraticable et aucun historien, à quelque courant de pensée qu'il appartienne, ne saurait désormais s'y rallier[1].

La seule question sérieuse est celle des documents, de leurs origines, de leur contenu et de la valeur qu'il convient de leur accorder. Les inventorier, les étudier de près, cela s'appelle l'exégèse. Une montagne, un Himalaya de commentaires, en ce domaine, et de commentaires antagonistes. On sait à présent qu'avant même leurs travaux scientifiques, Renan et Loisy

---

être interprété comme l'idée que Jésus est un mythe ». Son collègue de l'ULB, Jean Hadot, ajoutait en souriant : *« Il est trop facile de déclarer interpolation tout ce qui gêne. »* Quant à Flavius Josèphe, il y a chez lui une seconde, et ample, allusion à Jésus ; il s'agit là d'un texte « trafiqué ». Mais il existe une rédaction plus courte de ce paragraphe, dépouillée des additions chrétiennes, et qui a toutes chances d'offrir le texte original ; le rabbi nazaréen y est expressément nommé, comme un personnage réel.

1. Jean Massin, qui fut prêtre et affirme aujourd'hui son complet athéisme, n'en écrit pas moins dans son *Gué du Iaboq* qu'après *« longues hésitations et mûres réflexions »* l'existence historique de Jésus lui paraît maintenant *« indéniable »*.

avaient déjà leur opinion faite ; je veux dire que, pour des raisons fortes et personnelles, ils avaient déjà rompu avec leurs premières croyances. Leurs travaux d'exégèse furent conduits dans un esprit de confirmation ; ils cherchaient à établir sur preuves que leur rupture était bien fondée. Je ne pense pas que personne ait jamais changé de métaphysique à cause de l'exégèse et de ses découvertes. Ces retournements se produisent sur un autre plan, pour des motifs, des mobiles, d'un autre ordre. Si les conclusions de l'exégèse ont pu, chez certains, renforcer l'incroyance, il est des cas, au contraire, chez d'autres, où c'est la foi qui s'en est trouvée confortée. L'exégèse ne persuade ou ne dissuade que qui est déjà dissuadé ou persuadé. Il vaut néanmoins la peine de s'informer quant à ce qu'elle peut nous apprendre.

Le destin de l'exégèse catholique, pendant de longues années, n'a pas été heureux. L'aventure a commencé en 1678 lorsque Richard Simon publia son *Histoire critique du Vieux Testament.* Bossuet explosa, taxant Richard Simon de *« malignité au suprême degré ».* L'ouvrage fut interdit et, pendant plus de deux siècles, régna dans l'Église la loi du silence ; n'était permise aucune étude historique et critique de l'Ancien ou du Nouveau Testament. En revanche, chez les adversaires, une vaste et puissante expansion de recherches, avec les travaux que l'on sait, dont ceux de Renan furent les plus célèbres. Le mutisme de la pensée chrétienne, en ce domaine, parut si dommageable que Léon XIII, en 1890, consentit à la création de l'École biblique de Jérusalem, et quelques dominicains, sur la pointe des pieds, se mirent au travail. Leur effort fut discret, et Péguy, alors d'une incroyance agressive, notait, narquois, en 1897 : *« Nous connaissons tous une foule d'historiens critiques et rigoureusement critiques, à moins qu'il ne s'agisse des textes sacrés. »*

L'exégèse catholique ne tentait de s'exercer qu'avec une prudence extrême. Le RP Lagrange, qui dirigeait l'École biblique, ne tarda pas, en dépit de toutes ses précautions, à devenir suspect, et Rome lui fit savoir qu'on ne tolérait plus ses investigations sur l'Ancien Testament ; qu'il veuille bien s'en tenir au Nouveau, et dans les dispositions les plus soumises. Pie X, au mois de juillet 1907, rendit public, avec majesté, un décret du Saint-Office qui censurait des propositions dont les auteurs n'étaient pas désignés mais au nombre desquels figurait le cardinal Newman lui-même. Était condamné le constat, pourtant de longue date établi, des « deux Isaïe » (deux pour le moins, une distance certaine de plusieurs siècles entre le début du texte et sa fin). Toute l'Écriture Sainte devait obligatoirement être tenue pour *« inspirée »*, c'est-à-dire dictée ligne à ligne et mot à mot par le Saint-Esprit. Il était défendu de procéder à des distinctions et de supposer même que certains textes pouvaient paraître moins que d'autres d'une entière véracité historique. Le résultat de cette intransigeance fanatique et d'une telle cécité volontaire fut celui qu'il était aisé de prévoir. Déjà, en 1762, Jean-Jacques écrivait : *« En me disant Croyez tout, on m'empêchait de rien croire »*, et l'abbé Steinmann, évoquant, deux cents ans plus tard, les impératifs romains en matière d'exégèse, commentait, bourru, navré, mais se refusant aux clameurs : vouloir à toutes forces nous faire prendre le *Lévitique* pour un texte de Moïse, les *Psaumes* pour l'œuvre du roi David et le *Cantique* pour celle de Salomon, *« c'est à peu près comme si l'on attribuait* la Légende des siècles *à un contemporain de Charlemagne ».*

La *Revue biblique* conquit, avec le temps, quelque franc-parler. Elle osa dire : *« Reconnaissons avec tristesse que l'étude scientifique de l'Ancien Testament a souffert d'une longue éclipse » ;* et ceci : *« On aurait pu, et dû, aborder les difficultés* [qu'offrent les documents évangéliques] *avec un peu plus de franchise » ;* et ailleurs : *« Ce n'est pas en les dissimulant* [ces « difficultés »] *qu'on les abolit. »* Du bon travail a été fait, encore que subsiste, chez les chercheurs ecclésiastiques, un permanent malaise accompagné de regards inquiets du côté du Vatican, et d'opportuns silences. C'est une règle des institutions que de ne pas troubler les « simples ». Ainsi il est indécent, pour ne pas dire criminel, en France, de se risquer à des propos trop dénudants sur Napoléon Bonaparte, joyau, avec Louis XIV, du patrimoine national. Ainsi la vérité sur le Goulag, et sur la tyrannie totalitaire en URSS n'est pas un sujet recommandé dans le parti communiste ; il pourrait égarer l'électeur. Tout pareillement l'exégèse catholique doit-elle fuir certaines directions de recherches qui pourraient induire le fidèle à des interrogations malséantes.

Les sources principales de notre information sur la vie, la mort, l'enseignement du Nazaréen, on les trouve dans les quatre évangiles dits, respectivement, de Marc, Matthieu, Luc et Jean. Que valent-ils, ces documents ? Essayons d'y voir clair. Je m'exprimerai sans recourir à l'idiome savant, celui de *« l'herméneutique »,* et bannirai de mon langage *« péricope », « parénèse », « anamnèse »* et *« kérygme ».*

Les trois premiers évangiles sont communément appelés *« synoptiques »* parce qu'ils embrassent du même regard (pas tout à fait, cependant) les faits qu'ils relatent, et parce qu'ils ont entre eux de grandes ressemblances (pas toujours, néanmoins). Le quatrième, dit de Jean, est assez différent. Ces quatre textes, depuis le IVe siècle environ (dès le IIIe, peut-être), portent l'épithète de *« canoniques »,* ce qui signifie : reconnus, en droit, comme les seuls valables par la communauté chrétienne. Il en existait d'autres, qui furent réputés *« apocryphes »,* autrement dit inauthentiques et inutilisables, en raison surtout de leurs excès dans le « merveilleux ». On notera toutefois que des détails qui n'appartiennent pas aux *« canoniques »* et qui sortent des *« apocryphes »* ne s'en sont pas moins glissés dans la tradition populaire : les noms des mages, par exemple, et la présence, dans la crèche de Bethléem, d'un bœuf et d'un âne dont l'haleine réchauffait le nouveau-né.

Que les *« canoniques »* aient bien pour auteurs ceux qu'on leur assigne, on ne saurait l'affirmer. Il se peut qu'ils aient été, d'abord, tous les quatre, anonymes. Mais Renan a fait observer que les noms de Marc et de Luc, personnages secondaires et qui ne faisaient point partie des Douze (comme Matthieu et Jean), n'ajoutaient guère à la crédibilité des textes placés sous leur égide et qu'en conséquence il est vraisemblable que les deux récits sont bien, effectivement et dans l'ensemble, l'un (Marc) du compagnon et interprète de Pierre, à Rome, l'autre (Luc) de ce médecin que Paul emmena avec lui dans une partie de ses voyages. Quant à l'Évangile dit de Jean, l'exégèse catholique elle-même incline aujourd'hui à y voir une œuvre collective dont la rédaction s'échelonna sur une décennie (ou deux) en milieu « johannique », c'est-à-dire parmi les disciples de Jean, dans la région d'Éphèse. Ce quatrième évangile, qui contient de longs discours mis sur les lèvres du Christ (et la *Revue biblique* reconnaît qu'il s'agit là de commentaires, de harangues factices, à la façon de Tite-Live, beaucoup plus que de paroles réelles et directement recueillies[1]), a été trop souvent, de ce fait, écarté par la critique rationaliste comme dénué de toute valeur documentaire. Renan, pour sa part, se gardait d'un tel ostracisme et faisait observer que, sur le procès et la mort de Jésus, le (ou les) auteur(s) du quatrième évangile disposai(en)t de *« renseignements »* précieux, et *« supérieurs à ceux des synoptiques ».* Loisy partageait cet avis.

Les dates ? L'accord s'est fait à présent, de manière à peu près unanime, sur les années 70 à 85 pour la composition des *synoptiques* et 90-100 pour celle du quatrième évangile. Mais les chercheurs s'accordent également sur un point important : nos évangiles ont

1. Jean et les siens développent dans ce grand et beau texte l'idée qu'ils se font du Sauveur.

une longue *«préhistoire».* Luc le dit, du reste expressément, au début de son ouvrage : *«nombreux»,* écrit-il *(polloï),* nombreux sont ceux qui, *«avant moi, ont entrepris de composer un récit des événements qui se sont accomplis parmi nous»* et qui l'ont fait en relatant lesdits événements *«tels que nous les ont transmis ceux qui furent, dès le début, témoins oculaires, et serviteurs de la Parole»* (Lc 1,1-3). Dès que commença à s'éteindre la génération des *«témoins oculaires»,* de multiples écrits apparurent en vue de constituer quelque chose comme un arsenal de propagande. Il était capital, aux yeux des disciples, que les paroles de Jésus ainsi que son action, les circonstances de sa fin et celles qui suivirent, fussent avec soin conservées et que la postérité en bénéficiât autant que tous ceux, et toutes celles, qui avaient eu la chance de voir et d'écouter eux-même le Nazaréen. Toute une floraison s'épanouit de ces aide-mémoire, recueils de faits ou de paroles [1], du type de ce document que l'on a retrouvé en 1945, à Nag'Hammâdi, l'*Évangile selon Thomas,* texte uniquement constitué de propos tenus par le Christ et

1. On se demande pourquoi Ch. Perrot (*Jésus et l'Histoire, op. cit.,* p. 312) affirme : *«un recueil de* logia [paroles de Jésus] *ne peut que sombrer dans la gnose».* Mais qu'est-ce au juste, que la *«gnose»* ? Gnose du mot grec *gnosis,* signifie connaissance. Le mot a pris, traditionnellement, une coloration péjorative, impliquant interprétation fantaisiste, irrégulière, non conformiste ; non conforme à quoi ? A la «gnose» reconnue ; autrement dit : celle qui fait autorité ; une autorité revendiquée par le groupe qui se l'attribue d'office, car il prétend la tenir directement de l'Esprit Saint. Toute autre lecture des évangiles est considérée comme *«dévoyée»* (*ibid.,* p. 314).

qu'une tradition orale conservait[1]. Origène, au IIIe siècle, et Eusèbe, au IVe, citent des paroles de Jésus qui ne figurent pas dans nos *«canoniques»,* ce qui atteste qu'ils se référaient à des documents dont la trace s'est, jusqu'ici, perdue.

Faut-il prendre pour concluante la célèbre assertion d'Eusèbe disant que Papias, évêque de Hiérapolis en Phrygie, vers le milieu du IIe siècle, et personnellement lié avec un « ancien » dont il rapporterait les indications, donnait pour primitifs et fondamentaux d'une part un texte de Marc, différent de celui qui devint canonique et rédigé *« sans ordre »,* c'est-à-dire sans souci de logique et de chronologie, d'après *« ce que Pierre lui avait appris des actes et des paroles du Seigneur »,* d'autre part un travail de Matthieu, lequel aurait *« réuni en langue hébraïque »* les paroles principales de Jésus (ses paroles seulement) et *« chacun,* ajoutait Papias, les *traduisit* [en grec] *comme il put ».* Aurait donc existé un premier Matthieu araméen, et un *Ur-Markus*[2], comme dit l'exégèse allemande, où puisèrent les *« polloï »* dont

1. Ch. Perrot tient ce document pour *« fortement imprégné de gnosticisme »,* mais veut bien concéder que *« certains éléments* [réunis là] *pourraient cependant refléter quelque tradition présynoptique »* (*op. cit.*, p. 74).

2. Ch. Perrot croit, pour sa part (*op. cit.*, p. 41) à *« l'existence de deux états différents du texte de Marc »,* et il observe que *« l'ensemble de groupements polémiques »* qu'on lit en Marc (de 2,1 à 3,6) *« rompt visiblement l'unité de la narration »* dans le texte qui nous est parvenu (p. 252). Et sommes-nous certains d'avoir sous les yeux la version originale du texte de Luc ? Dans le Luc canonique surgit, de 9,51 à 18,14, ce que Ch. Perrot voit comme *« l'addition massive d'un étrange bloc aux pièces disparates »* (p. 35).

parle Luc — en même temps, il n'est pas téméraire de le supposer, que dans d'autres sources d'informations. Rien de tout cela n'est très sûr. Ce qui l'est, en revanche, c'est que les synoptiques sont la reprise et l'aboutissement de maints essais antérieurs et l'on devine tout ce qui put, dans cette « préhistoire », intervenir pour modifier les souvenirs transmis par les premiers disciples et le rôle qu'a pu jouer là, fatalement, l'amplification littéraire[1]. D'où ces redoublements de miracles ; non plus seulement un aveugle guéri, mais deux ; un « possédé » délivré, puis deux ; deux pêches miraculeuses ; deux multiplications des pains, avec chiffres qui s'enflent : quatre mille auditeurs rassasiés, puis cinq mille, sept, puis douze corbeilles de surplus[2]. Prenons-en bien conscience : nos canoniques sont *« des attestations croyantes »* en faveur du *« Christ de Dieu »* et non point *« la relation d'enquêtes systématiques »* soucieuses avant tout *« d'exactitude chronologique, topographique ou psychologique*[3] *»*. Les évangiles sont des entreprises non d'histoire, mais de prédication ; leur intention est doctrinale.

Autre chose. De même que, dans l'Ancien Testament, s'avèrent les influences qui s'exercèrent sur l'hébraïsme

1. L'exégèse catholique ne nie point que les évangélistes recourent parfois au *« langage de l'imaginaire »,* comme par exemple pour la tentation de Jésus au désert (Ch. Perrot, *op. cit.,* p. 313). Les connaissances linguistiques, dont les progrès ont été, depuis Renan, considérables, permettent de distinguer dans les évangiles des étapes rédactionnelles successives.

2. Pour Ch. Perrot (*op. cit.,* p. 206), il s'agit là de *« doublets reflétant des milieux communautaires différents ».*

3. Cf. J. Doré, dans sa *« présentation »* de l'ouvrage de Ch. Perrot (p. 9 et 10).

pour sa configuration spirituelle (l'épopée de Gilgamesh s'y reflète ; Satan vient de la Perse, et les Juifs ne vécurent pas de longues années en Égypte sans en être intellectuellement marqués [1]), de même les disciples de Jésus, quand ils racontent et racontent, emportés par leur passion propagatrice, font, plus ou moins à leur insu, des emprunts aux ethnies qu'ils rencontrent et veulent gagner à leur foi. Plusieurs *« traits »,* qu'on relève dans nos canoniques et dont *« l'origine rédactionnelle »* peut être *« tardive »,* semblent provenir de *« certaines histoires connues de tout le monde hellénique, comme le statère dans la bouche du poisson [2] ».* En contact avec les païens qui s'enorgueillissent de *« sanctuaires guérisseurs »* où, d'Épidaure à Rome, dans *« un déferlement de merveilleux »,* foisonnent les miracles, les « chrétiens » (ce nom leur a été donné à Antioche, et il est sans bienveillance) s'en voudraient d'être en reste dans le domaine de la thaumaturgie. Les *« religions*

1. V. Messori, dont les *Hypothèses sur Jésus* sont une apologie catholique, reconnaît que les *« progrès* [considérables depuis deux siècles] de *l'histoire comparée des religions, ont rendu de plus en plus énigmatique l'origine de la foi hébraïque »* (p. 53). La personne et le destin de Moïse nous sont pratiquement inconnus. Son nom même, où l'égyptien se mêle à l'hébreu, semble n'être qu'un sobriquet. On ignore sous quel pharaon eut lieu l'exode et il est d'ailleurs à peu près certain qu'il y eut deux exodes séparés par deux siècles, l'un aux environs de 1550 (avant J.-C.), l'autre aux environs de 1250. Moïse conduisit-il les Hébreux jusqu'à la montagne dite aujourd'hui Djebel Mousa et qui passe pour le lieu de la Révélation et des Tables ? Rien de moins sûr.

2. Ch. Perrot, *op. cit.,* p. 230 et 207. L'eau changée en vin figure dans la mythologie de Dionysos, et la résurrection du fils de la veuve, à Naïm, se retrouve, trait pour trait, dans la résurrection opérée par Apollonios de Tyane aux portes de Rome.

à mystères », où les vierges enfantent des dieux, ne les trouvent point démunis, et ils célèbrent un fondateur qui, pour finir, monte au ciel comme Héraclès, Empédocle, Romulus, Alexandre le Grand (et, dans la tradition hébraïque, Énoch ainsi qu'Élie). Leur méthode est d'annexer par transposition, au profit de la foi, tel usage local invétéré. La Fête de la Moisson, cinquante jours après Pâques dans le calendrier juif, devient, dans les *Actes des Apôtres,* l'effusion sur les disciples de l'Esprit Saint (Pentecôte), alors que rien de semblable n'est signalé ni par Luc lui-même, dans son évangile, ni par Marc, ni par Matthieu (ni non plus par Paul dans ses lettres) et que, selon Jean, c'est le soir même de Pâques que Jésus ressuscité *« souffla »* sur les disciples et leur dit : *« Recevez l'Esprit Saint »* (Jn 20,22) ; et de même, au IVe siècle, le solstice d'hiver, grande fête du culte mithriaque largement répandu, devint la fête de Jésus naissant. Telle était la conviction de ces messagers du Seigneur, qu'ils ne se faisaient point scrupule d'orner leur évangélisation des prestiges les plus séduisants. Jeanne, elle aussi, qui sait bien qu'elle dit vrai sur le fond, brode, sans penser à mal, et invente le conte de la couronne incomparable que portait dans ses mains l'ange qui la précédait lorsqu'elle alla trouver le *« gentil Dauphin ».* Ainsi le message initial du Nazaréen se surcharge d'adjonctions et de légendes innocemment publicitaires.

Classer les synoptiques n'est pas commode. Devant ce que la *Revue biblique* n'hésite pas à nommer *« le puzzle synoptique»,* elle penchait naguère à considérer l'évangile de Marc comme le premier en date. Elle se serait quelque peu ravisée en faveur de Matthieu. La question n'est pas d'une importance majeure ; s'y poursuivent néanmoins de fastidieux *«piétinements».* Il est plus intéressant de noter l'évident écart entre les intentions de Marc et celles de Matthieu. Tandis que Marc tient à marquer fortement la distance qui sépare Jésus de la Torah [1], le souci de Matthieu, au contraire, est d'ajuster le plus possible le Nouveau Testament à l'Ancien. Luc, pour sa part s'efforce, dit Perrot, de *«niveler généreusement»* les contrastes. Jean, là où les synoptiques disent *«les scribes et les pharisiens»,* Jean —et pas moins de soixante et onze fois— dit : *«les Juifs»,* comme si Ieschoua n'était pas lui-même, et sans équivoque, un Juif. On remarquera aussi le goût de Matthieu pour les grossissements. Selon Marc, Jésus envoie les Douze *«expulser les démons».* A ce *«guérissez les malades»,* Matthieu ajoute, de son chef, *«ressuscitez les morts»* (Mt 10,8) ; quand le Christ expira, des ténèbres se firent, dit Marc (comme cette éclipse du soleil qui avait accompagné la mort de César) et le voile du Temple se déchira. Signes insuffisants, pour Matthieu ; de plus, selon lui, *«la terre trembla, les rochers se fendirent» ;* mieux même, *«les tombeaux s'ouvrirent et de nombreux corps de saints trépassés*

1. Marc (2,27) fait tenir à Jésus un propos rude sur le sabbat, lequel *«a été fait pour l'homme, et non l'homme pour le sabbat»,* Matthieu a soin, quant à lui (12,1-8), d'omettre ces mots et Luc fait de même (6,1-5).

ressuscitèrent » ; qui parcoururent *« la Ville sainte »* (Mt 27,51-53).

Marc ne craint pas de rapporter, concernant Jésus, des détails mal apologétiques, qui ne sauraient être inventés, tant ils *« vont à l'encontre »* d'un mouvement naturel de glorification sans cesse accentué. Ces détails-là, *« la communauté chrétienne aurait été plutôt tentée de les biffer ».* Si Marc les recueille, c'est que sa loyauté l'y oblige. Ce sont, dit-il, des *« onctions d'huile »* que, sur le conseil du maître, les Douze pratiquaient pour la guérison des malades (Mc 6,13). Matthieu et Luc oublient cette précision superflue. A Bethsaïde, Jésus doit s'y prendre à deux fois pour rendre la vue à cet aveugle sur les paupières duquel il avait jeté sa salive (Il lui avait *« craché sur les yeux »,* dit Marc 8,23-25), péripétie qui disparaît chez Matthieu et chez Luc. Marc est d'une audacieuse franchise quant aux dispositions que rencontra Jésus parmi *« les siens »* — les membres de sa famille — lorsqu'il reparut à Nazareth, charpentier en rupture devenu *rabbi* errant. Les siens l'accueillirent très mal et voulaient *« se saisir de lui »,* disant : il est fou, *« il a perdu le sens »* (Mc 3,21). Cet incident fâcheux n'a pas de place dans le texte de Matthieu qui se contente d'écrire : *« ils étaient choqués à son sujet »* (Mt 13,57). Et c'est Marc encore, et Marc seul, qui rapporte l'anecdote bizarre du *« jeune homme »,* à Gethsémani, qui *« suivait »* Jésus, *« n'ayant pour tout vêtement qu'un drap, on le saisit ; mais lui, lâchant le drap, s'enfuit tout nu »* (Mc 14,51-52).

Tels récits des synoptiques pourraient bien, écrit Ch. Perrot, *« n'être que des paraboles »* muées par la tradition en faits concrets, comme par exemple l'historiette *« fantastique des porcs de Gerasa*[1] *».* Il convient également de prêter attention à la réserve de Jean sur le point des miracles qui sont, chez lui, moins nombreux que dans les synoptiques (Jean ne mentionne, à la mort du Christ, aucun phénomène tellurique ou céleste) et si l'on compare le récit de *« la marche sur les eaux »* en Marc et Matthieu d'une part, et Jean de l'autre, on constate d'étranges dissemblances ; Matthieu ajoutait d'ailleurs à Marc un épisode neuf : Pierre qui s'essaie à son tour à cet exercice, mais qui *« prend peur et commence à couler «,* (Mt 14,29-30) ; chez Marc et Matthieu, Jésus *« monta dans la barque » ;* chez Jean, non ; quand Jésus se montra, à peine ses disciples l'avaient-ils aperçu, *« la barque toucha terre au lieu où ils se rendaient »* (Jn 6,21). Matthieu qui, visiblement, s'adresse à des compatriotes et veut les convaincre que Jésus est le nouveau Moïse Matthieu est le seul des évangélistes à savoir que l'enfant élu échappa au massacre des nouveau-nés prescrit par Hérode, comme la vie du nourrisson Moïse, avait échappé à la fureur du Pharaon. Et, comme Moïse était venu d'Égypte, il convenait que Jésus ait connu et quitté ce même pays. Jésus marchant sur *« la mer de Tibériade »* renouvelle le miracle des Hébreux traversant à pied sec la mer Rouge et la transfiguration du Christ au Thabor fait suite, pour la révélation nouvelle, à la théophanie du Sinaï[2]. Il faut reconnaître

1. Ch. Perrot, *op. cit.,* p. 207. L'auditoire juif, auprès duquel le porc est un animal impur, dut vigoureusement applaudir à cet apologue malicieux.

2. Ch. Perrot fait observer, à juste titre, sur ce point, que *« presque chaque élément du récit de Marc »* renvoie au texte de

que les références du Nouveau Testament à l'Ancien prêtent parfois à sourire, et la *Revue biblique* n'est pas loin de l'ironie quand elle note : «*Les efforts que les rédacteurs du Nouveau Testament ont dû fournir pour retrouver le Christ dans les Textes furent méritoires*[1].» Pour la résurrection, Matthieu et Luc convoquent Jonas : «*De même que Jonas fut dans le ventre du monstre marin durant trois jours et trois nuits, de même le Fils de l'homme* [etc.]» (Mt 12,40)[2] ; rapprochement contestable, car le Nazaréen, mort le vendredi, ne passa «*dans le sein de la terre*» que la nuit du vendredi au samedi et la journée du samedi ; le tombeau était déjà vide le dimanche matin. Tertullien croira découvrir, dans Osée, une prophétie concernant Jésus : «*Venez ! Retournons vers Yahvé* [...]. *Il a frappé ; il bandera nos plaies ; après deux jours il nous rendra la vie ; le troisième jour, il nous relèvera*» (Os 6,1-2), ce qui n'entraîne que faiblement la conviction. On voit mal, à la vérité, sur quoi s'appuie Paul avec tant d'assurance quand, dans sa première lettre aux Corinthiens (15,4), il proclama que le Christ «*est ressuscité le troisième jour, selon les Écritures*».

---

l'*Exode.* Le paragraphe de Marc commence ainsi, curieusement : «*Six jours après...*», et, dans l'Exode (24,16) : «*après six jours, Moïse monta au Sinaï* [etc.].»

1. Ch. Perrot, de son côté, parle à ce sujet de «*références bibliques qui ne sont souvent que de vagues allusions*» (*op. cit.*, p. 245). On ne peut que donner raison à V. Messori déclarant avec honnêteté, dans ses «*Hypothèses sur Jésus*» (trad. fr. 1979) : «*l'interprétation messianique de nombreux passages de la Bible est insoutenable*» (p. 41).

2. Si discipliné qu'il se veuille, Ch. Perrot se risque toutefois à parler, à propos de Jonas, de «*conte humoristique*» (p. 76).

Il ne suffit pas cependant qu'un détail concernant le Messie dans l'Ancien Testament reparaisse dans le destin de Ieschoua pour qu'il y soit forcément suspect. C'est en 1873 dans sa *Saison en Enfer* que Rimbaud écrivait : *« sur mon lit d'hôpital, l'odeur de l'encens m'est revenue si puissante » ;* nul n'oserait en conclure qu'il ne mourut pas effectivement ainsi, dix-huit ans plus tard, à l'hôpital de Marseille. Pareillement voici Zola, en 1892, qui décrit la mort de ce Dr Pascal dont il avait fait un autre lui-même ; ce saisissant passage du roman est bien là, comme sont là, aussi, les circonstances précises de sa propre mort, en septembre 1902, conformes à ce qu'il avait imaginé. Que Zacharie ait vu en esprit le Messie entrer à Jérusalem sur un ânon ne suffit pas à démontrer que le Nazaréen, à la veille de sa mort, n'y est pas entré dans cet équipage. Et qu'on lise dans le Psaume 22 : *« Ils ont percé mes mains et mes pieds »,* n'empêche pas Jésus d'avoir été crucifié.

Il est vain de passer sous silence ce que les récits évangéliques doivent, sans qu'il ait pu en être autrement, à l'époque où ils ont été écrits et dont ils portent le vêtement. Ces textes sont situés et datés ; c'est-à-dire qu'ils sont d'un âge où la terre était tenue pour plate, le soleil tournant autour d'elle, et où les étoiles n'étaient, dans le ciel nocturne, que des luminaires décoratifs ; d'un âge mythologique aussi où les apparitions d'anges, les songes prémonitoires et les voix célestes étaient monnaie courante.

Les rédacteurs des canoniques s'expriment selon l'outillage mental qui est le leur — comme Jeanne, à son procès, décrira l'archange saint Michel tel qu'elle l'a vu sur les vitraux de son temps. Notre investigation dans les évangiles est une enquête qui s'efforce d'aller des légendes à l'histoire. Les récits évangéliques sont des toiles où se sont superposées des couches de peinture, où sont intervenus collages et grattages. La *Via dolorosa* que l'on présente aujourd'hui à Jérusalem à la ferveur des pèlerins — le parcours qu'effectua Jésus pour aller du prétoire au Golgotha — a si peu d'authenticité que le sol sur lequel s'avança réellement le condamné à mort est à une profondeur de huit ou dix mètres, tant s'amoncelèrent sur sa surface destructions et reconstructions. Enfoui présentement, il n'en existe pas moins, ce vrai chemin que foula le supplicié. Ainsi la vérité historique, dans l'aventure du Nazaréen, sous l'entassement des adjonctions.

Des conglomérats, nos canoniques ; des compilations, des fourre-tout. Souvenirs (ou traditions) juxtaposés en vrac. On s'y heurte même, parfois, à des énigmes. Comment croire que le Nazaréen ait dit vraiment aux Douze : si je parle en paraboles, c'est *« afin que »* ceux qui composent *« la foule »* (Mc 4,12) *« aient beau voir et n'aperçoivent pas, aient beau entendre et ne comprennent pas, de peur qu'ils ne se convertissent et qu'il ne leur soit pardonné*[1] *»*. Les rédacteurs mettent par écrit ce qu'ils ont eux-mêmes compris dans ce qu'on leur a rapporté. Entre deux affirmations prêtées à Jésus, il faut choisir, car elles

1. Mais Matthieu donne (13,13-14) la citation exacte d'Isaïe (6,5-10) : *« l'esprit de ce peuple s'est épaissi ; ils se sont bouché les oreilles, ils ont fermé les yeux de peur que leurs yeux ne voient, que leurs oreilles n'entendent »*. C'est la faute de ces endurcis et non pas l'intention de celui qui leur parle.

sont inconciliables, antithétiques. Selon Marc et Luc, Ieschoua déclare : *« qui n'est pas contre vous est avec vous »* (Mc 9,40 ; Lc 9,50) ; mais, selon Matthieu : *« qui n'est pas avec moi est contre moi »* (Mt 12,30). C'est l'un ou c'est l'autre. Propos qui s'excluent. La *Revue biblique* signale ce qu'elle nomme, dans le texte des évangiles, des *« cas désespérés »,* où tel paragraphe n'offre littéralement aucun sens intelligible ; en particulier en Jean 6,22-25 où il est question de barques et de déplacements. Et d'où peut bien venir le récit de ce qui se passa entre le Fils et le Père dans la nuit de Gethsémani (l'effroi du Christ, sa supplique, et son acceptation ; toutes choses dont Jean ne dit mot), attendu que l'épisode fut sans témoin ? Des *« difficultés »* donc, sous nos pas, et que ne cherchent point à masquer les exégètes de la *Revue biblique.* Et les divergences ? Elles ne manquent pas entre nos textes. En voici quelques-unes, parmi les plus sérieuses :

— En Luc, Marie vivait à Nazareth et c'est là qu'eut lieu l'Annonciation (Lc 1,26-27). En Matthieu, c'est au retour d'Égypte que Joseph et Marie, fuyant la dangereuse Judée, se rendirent avec leur enfant *« dans la région de Galilée »* et s'installèrent *« dans une ville appelée Nazareth »* (Mt 2,22-23).

— Dans le quatrième évangile, on lit successivement : après sa rencontre avec Jean le Baptiste, Jésus alla en Judée *« et il y baptisait »* (Jn 3,22) ; à peine quelques lignes plus loin, repentir, rectification : *« à vrai dire, ce n'est pas Jésus qui baptisait, mais ses disciples »* (Jn 4,2) — incise, selon Ch. Perrot[1], qui doit

1. Ch. Perrot, *op. cit.,* p. 236.

être attribuée à quelque *« dernier rédacteur johannique »*.

— Selon Jean, lors de la Fête des tentes, Jésus ne se rendit à Jérusalem que *« sans se faire voir »* (Jn 7,4) ; cependant peu après dans le texte (*id.*, 14) *« Jésus monta au Temple et se mit à enseigner »,* ce qui n'est pas un bon moyen de passer inaperçu.

— L'institution de « l'eucharistie » date-t-elle bien du dernier repas pris par Jésus avec ses disciples, juste avant son arrestation ? Jean ne l'indique aucunement et Perrot[1] a raison de poser la question : *« jusqu'à quel point la tradition synoptique n'a-t-elle pas historicisé la symbolique pascale du dernier repas de Jésus ? »*

— Dans le récit de la Passion, d'une part, la chronologie synoptique ne s'accorde pas avec celle de Jean et, d'autre part, les *ultima verba* du Christ en croix diffèrent sensiblement d'un évangile à l'autre. Luc est le seul à parler de *« bon larron » :* alors que Marc et Matthieu affirment : *« les brigands crucifiés avec lui* [Jésus] *l'outrageaient »* (Mc 15,32 ; Mt 27,44).

— Les précisions relatives aux apparitions du ressuscité sont discordantes, d'un texte à l'autre, tant pour leur localisation que pour leurs bénéficiaires.

Tout cela saute aux yeux. Il n'en reste pas moins que les convergences l'emportent, et de beaucoup, sur les divergences et la moisson reste considérable de ce qui, dans nos évangiles, sur la vie, l'enseignement et la mort du Nazaréen, revêt une valeur d'histoire. Certes, une « biographie » de Jésus n'est pas, scientifiquement, possible ; celle de Renan est le modèle de ce

1. *Op. cit.,* p. 83.

qu'il ne faut pas faire. Proust s'en amusait et disait que la *Vie de Jésus* de Renan lui faisait l'effet d'une *«Belle Hélène du christianisme»*, aussi peu sérieuse, pour approcher le Nazaréen, que, pour connaître les origines de la guerre de Troie, l'opérette d'Offenbach. Couchoud passe toute mesure en affirmant que *«tout bien pesé, l'historien* [à propos de Jésus] *doit conclure à un procès-verbal de carence»* et Bultmann s'en laissait imposer par les prétentions de la critique rationaliste en accordant que nos certitudes historiques, sur la vie du Christ, sont à peu près nulles, *«autant dire rien»*. Lucien Febvre était victime de ses préjugés quand il déclarait que, pour l'historien, Ieschoua dit Kristos est *«à peine une ombre incertaine»*. Et c'est Rousseau qui dit juste quand il écrit : *«Les faits de Socrate, dont personne ne doute, sont moins attestés que ceux de Jésus.»* Ce qui ne signifie pas que tout soit clair à son sujet; beaucoup de choses le sont néanmoins.

Sa naissance à Bethléem reste douteuse. Le Messie devant être un descendant de David, il importait que Jésus-Messie naquît lui-même à Bethléem, *«la ville de David»*, comme Luc le rappelle (Lc 2,4-6). Au début de son évangile, Luc se targue de s'être *«soigneusement informé»*; il nous embarrasse cependant avec son *«recensement de toute la terre»* ordonné par César Auguste *«pendant que Quirinius était gouverneur de Syrie»*; ledit Quirinius ne fut en effet gouverneur de Syrie qu'à partir de l'an 6. Quant à Matthieu, il situe la naissance de Jésus *« du temps du roi Hérode »* (Mt 2,1). Or Hérode mourut à Jéricho en l'an 4 av. J.-C. et Ch. Perrot s'interroge sur le degré de *« confiance »* qu'il convient d'accorder à cette *« indication tardive du récit matthéen*[1] *».* Sur l'ascendance davidique de Ieschoua nous disposons de deux généalogies, fournies l'une par Matthieu, l'autre par Luc, et qui sont insuperposables. On voit mal d'ailleurs, si Joseph n'est pas le géniteur de Jésus, l'intérêt qui peut s'attacher au fait, très hypothétique, d'une appartenance de Joseph à la maison de David[2]. Les lettres de Paul sont antérieures à nos canoniques et il y apparaît clairement que Paul ne sait rien d'une naissance miraculeuse du Sauveur. Lequel — Paul le dit expressément — est *« né d'une femme »* (Gal 4,4), d'une femme (*gunè,* dans le texte, et non point *parthénos,* une vierge) ; il précise même que Jésus est *« issu de la lignée de David, selon la chair »* (Ro 1,3). Ce qui prouve qu'entre 50 et 63 (les lettres de Paul s'échelonnent entre ces deux dates) le thème de la conception virginale tel qu'il figure en Matthieu et en Luc restait inconnu de Paul. Le récit de Marc a été composé *« aux alentours de l'an 70 »* et ignore tout, également, de circonstances extraordinaires ayant entouré la naissance de Jésus. Jean, qui aurait recueilli auprès de lui la mère du Crucifié, veillant sur elle jusqu'à ce

1. Ch. Perrot, *op. cit.,* p. 85 ; formule qui donne à penser que, pour cet exégète (et il n'est certes pas le seul de cette opinion), les pages de Matthieu sur la naissance et la première enfance de Jésus sont une adjonction tardive au texte original.

2. Tel « apocryphe » du IIe siècle s'emploie à faire de Marie une descendante, elle aussi, du roi David.

qu'elle meure, Jean, dont le texte est postérieur à celui des synoptiques, ne fait aucune allusion au miracle dont Marie aurait été l'objet lorsqu'elle conçut son premier-né. Quelques mots seulement du *Prologue* — hymne composite où plusieurs rédactions s'entrecroisent — semblent exclure de la naissance du Christ tout autre acte que celui de Dieu seul ; le récit johannique proprement dit ne contient rien qui corrobore cette indication lyrique.

On s'étonnera, d'autre part, d'un détail rapporté par Luc dans l'épisode de Jésus, douze ans, s'attardant dans le Temple à l'insu de ses parents, tandis que la famille, le pèlerinage accompli, a repris, avec les gens du village, le chemin de Nazareth ; son père et sa mère s'affolent : ils sont *« dans l'angoisse » ;* où leur enfant est-il passé ? Ils regagnent Jérusalem et retrouvent enfin Jésus *« assis au milieu des docteurs, les écoutant et les interrogeant » ; « sa mère »* lui reproche tendrement de les avoir, elle et Joseph, si fort inquiétés par sa disparition ; et il répond : *« Ne saviez-vous pas que je me dois aux affaires de mon Père ? »,* mais ni Joseph, ni Marie, dit le texte, *« ne comprirent »* ce qu'il voulait dire (Lc 2,46-50) ce qui ne laisse pas d'être surprenant, chez Marie surtout, elle qui, depuis l'Annonciation, *« conservait avec soin tous ces souvenirs et les méditait en son cœur »* (Lc 2,19). La place est minime que tient Marie dans la vie publique de Jésus selon les quatre évangiles ; et témoignerait presque d'une certaine — et pénible — rudesse de la part de son fils. A Cana, Marie l'avertit : *« Ils n'ont plus de vin »,* et Jésus lui répond (je cite ici la traduction établie par l'École biblique de Jérusalem) : *« Que me veux-tu, femme ?»* (Jn 2,4)[1]. Deux fois encore Jésus s'exprime de façon brusque, et qui peut paraître coupante, à l'égard de sa mère. On lui signale, alors qu'il s'adresse *« aux foules »,* que *« sa mère et ses frères »* sont là, *« dehors »,* cherchant *« à lui parler ».* Il écarte, et montrant d'un geste ceux qui l'écoutent : *«Voici ma mère et mes frères* [...] ; *ma mère et mes frères, ce sont ceux qui écoutent la parole de Dieu et qui la mettent en pratique* (Mt 12,46-49 ; Lc 8,19-21 ; Mc 3,31-35).

Un autre jour, *« une femme éleva la voix au milieu de la foule et lui dit : « Heureuse les entrailles qui t'ont porté ! »,* et lui : *« Heureux plutôt ceux qui écoutent la parole de Dieu et la gardent »* (Lc 11,27-28). Aucun des synoptiques ne mentionne la présence de Marie au calvaire, alors que Marc et Matthieu énumèrent les *« saintes femmes »* qui assistèrent à la crucifixion. Seul Jean assure qu'elle était là. Marie n'a pas osé réclamer aux Romains le corps de son fils et aucun évangile ne la met au nombre de ceux et de celles à qui se montra le ressuscité.

A maintes reprises, dans nos textes, des allusions aux *« frères »* et aux *« sœurs »* de Jésus. La tradition interprète ces termes comme désignant *« la parenté »* du Nazaréen, ses cousins et cousines. C'est au ve siècle, semble-t-il, que se constitua le dogme d'une Marie demeurée vierge dans sa vie conjugale[2]. Il n'est pas

1. En note, dans cette traduction : *« littéralement : quoi de toi à moi ? »* avec ce bref commentaire : *« sémitisme qui écarte une intervention ».*

2. Cette légende sortait particulièrement de l'apocryphe intitulé *« Protévangile de Jacques ».*

douteux que Jésus, en son temps, passait pour *« le fils du charpentier »* (Mt 13,55), *« le fils de Joseph »* (Lc 4,22), et Matthieu comme Luc donnent les noms de ses *« frères » :* Jacques, Joseph (ou Joset), Jude et Simon, ajoutant : *« Et ses sœurs sont toutes parmi nous. »* La philologie n'interdit pas cette interprétation large du grec *adelphos* au sens de *« cousin »,* quoiqu'elle paraisse plus difficile à admettre au féminin qu'au masculin. Mais quand Paul veut parler de cousin (*« Marc, le cousin de Barnabé »,* Col 4,10), il emploie le mot requis tandis qu'il conserve le terme d'*adelphos* pour Jacques, *« le frère du Seigneur »* (Ga 1,19). Et lorsque Jean écrit : *« même ses frères ne croyaient pas en lui »* (Jn 7,5), le détail perdrait beaucoup de sa vigueur s'il fallait l'entendre sous cette forme : ses cousins eux-mêmes le récusaient. Reste le paragraphe de Jean : *« voyant sa mère et, près d'elle, le disciple qu'il aimait, Jésus dit à sa mère : Femme voici ton fils, et au disciple : Voici ta mère. A partir de cette heure, le disciple la prit chez lui »* (Jn 19,26-27). Si Marie avait eu d'autres enfants, pensera-t-on, Jésus n'aurait pas eu besoin de recourir, pour veiller sur elle, à son disciple préféré : mais nous n'ignorons point, grâce à Marc, l'hostilité violente qu'avait rencontrée Jésus chez *« les siens »* et les circonstances n'étaient certes pas de nature à rapprocher de lui un groupe qui déjà ne l'aimait guère. En dépit des insistances traditionnelles, la question de Jésus fils *unique* de Marie est loin d'être aujourd'hui tranchée [1].

1. Cf. l'ouvrage de Jean Gilles, *les « Frères » et les « Sœurs » de Jésus,* Paris, Aubier, 1979.

Quel âge avait Jésus lorsqu'il entreprit sa prédication ? *« Environ trente ans »,* dit Luc (3,23). Et quelle fut la durée de sa vie publique ? La narration johannique mentionne trois fois la fête de Pâques pendant le ministère de Jésus et signale explicitement plusieurs visites de Jésus à Jérusalem (Jn 2,13 ; 7,14 ; 12,12). Le quatrième évangile donne donc à penser que la vie publique de Jésus s'étendit sur une période de trois ans. En revanche, les synoptiques semblent réduire à une année seulement la prédication du « rabbi ». Confirmerait cette hypothèse un texte polémique, datant de la seconde moitié du Iᵉʳ siècle et dû à la communauté chrétienne de Jérusalem qui s'irrite contre Paul et ses allures autoritaires : comment cet homme, qui n'a point connu personnellement le Sauveur, en saurait-il, sur ses intentions, plus que ceux qui vécurent *« une année entière »* avec lui ? Si la première communauté chrétienne avait pu se prévaloir d'une plus longue présence de Jésus, elle n'y eût pas manqué. Il n'est donc pas imprudent de supposer que la vie publique de Jésus s'accomplit en quelque douze mois, peut-être un peu plus, peut-être un peu moins.

De cette vie publique on discerne à peu près les grandes lignes. Ieschoua entend parler, à Nazareth, de ce qui se passe, au bord du Jourdain, autour de ce Iôhânân qui lui est peut-être apparenté. Celui que l'on appellera Jean le Baptiste, qui s'est retiré *« au désert »,* s'est mis à prêcher *« dans toute la région du Jourdain »* (Lc 3,3) annonçant la fin du monde, la *« colère prochaine »* de Dieu (Lc 3,7) et l'urgence du *« repentir ».* Il pratiquait dans le petit fleuve qui, un peu au sud-est de Jéricho, se jette dans la mer Morte un baptême de purification. Jésus va l'écouter, se fait lui-même baptiser et se retire, à son tour, quelque temps, dans la solitude où il décide de ne plus reprendre sa vie paisible de charpentier. (*« N'est-ce pas là le charpentier ? »,* diront les gens de Nazareth quand il reviendra, changé, au pays ; Mc 6,3) et d'annoncer partout la *« bonne nouvelle »* (Lc 3,18)[1]. Il parcourt d'abord la Galilée, mais on lui apprend — est-ce sûr ? — que le tétrarque le guette. Ieschoua quitte alors la Galilée et gagne la Phénicie, à l'ouest, puis la Décapole, à l'est[2]. Mais c'est à Jérusalem qu'il veut enfin se faire entendre, quels qu'en soient les risques. Il y « monte » et on l'arrête ; en quelques heures ont lieu son procès et son exécution.

Le concile de Chalcédoine, en 451, contrairement à ceux qui voulaient n'attribuer à Jésus qu'une apparence humaine recouvrant à peine sa « nature » divine, décida que Jésus avait été en même temps et très véritablement un homme, tout semblable aux autres, moins le péché. Prenons donc au sérieux cet article de foi ; et les textes ne manquent pas d'informations sur la réalité humaine du Nazaréen, « pleinement et totale-

1. C'est donc bien là, semble-t-il, un fait certain : *« Jésus a commencé son ministère à la suite de Jean le Baptiste »* (Ch. Perrot, *op. cit.*, p. 81). Quant au baptême de Jésus, on observera que le récit johannique n'en dit mot ; et Paul, pour sa part, ne fera jamais dans ses épîtres la moindre allusion au Baptiste.

2. Ou l'inverse, Décapole d'abord, Phénicie ensuite. On ne saurait se prononcer avec certitude sur ce point.

ment un homme, anatomiquement, physiologiquement et psychologiquement[1] ».

Tout prédicateur, aujourd'hui, scandaliserait s'il avait la grossièreté de rappeler que Ieschoua, *« vrai homme »* selon le dogme, subissait donc nos contraintes animales. Cependant Jésus n'a pas craint d'évoquer, en toute simplicité, le sort de nos digestions (cf. Mc 7,19 et Mt 15,17). Le Nazaréen n'est pas un être céleste et qui, au terme d'un voyage astral, serait tombé sur notre planète pour s'y déguiser, un moment, en créature humaine. *« Fils de Dieu »* en plénitude, il n'échappa point, pour autant, à la condition humaine telle quelle, et vécut soumis à tous nos assujettissements physiques.

Son aspect ? Rien, sans doute, ne le distinguait de loin, dans un groupe, puisqu'il fallut, pour son arrestation, que Judas s'offrît pour le désigner aux sbires chargés de mettre la main sur lui. Il est probable qu'il n'était point d'une stature insigne ; probable aussi qu'il avait toutefois la poitrine large et la voix assez forte pour qu'elle soit perçue, en plein air, par de vastes auditoires. Les plus anciennes mosaïques chrétiennes que nous connaissions le représentent sous les traits d'un jeune homme imberbe. Mais la barbe étant, en Orient, un signe de puissance, le Christ byzantin fut doté, sur ce point, d'une allure d'*imperator.* Portait-il les cheveux longs ? Paul condamne cet usage, mais Paul n'a jamais été un compagnon de Ieschoua. Une seule certitude : un rayonnement sortait de lui, un pouvoir d'irradiation. Sans ce « charisme », quel qu'il fût, dont

1. Cf. Cl. Tresmontant, *Problèmes du christianisme,* Paris, Éd. du Seuil, 1980.

il était assurément doué, il n'eût pas suscité le tumulte ébloui que lui durent tant de cœurs.

Il s'exprimait à l'orientale, avec un goût prononcé pour le paradoxe, l'outrance, l'hyperbole souvent teintée d'humour. Pour dire que l'on voit aisément les défauts d'autrui tout en oubliant les siens propres, il parle d'une *«poutre»* qu'on aurait dans l'œil quand le voisin n'y a qu'une *«paille».* «Paille» est déjà gros pour fétu, poussière ; mais *«poutre» ?* Démesure dans la métaphore ; une plaisanterie de charpentier. Et voici deux fois le chameau convoqué par lui pour des images excessives. Que l'entrée du Paradis soit malaisée aux opulents, cette idée devient sur ses lèvres l'infortune qu'éprouverait un dromadaire s'il voulait s'insinuer dans le chas d'une aiguille (Mt 19,24) ; et ces pharisiens scrupuleux pour des vétilles et qui négligent l'essentiel, s'ils filtrent leur breuvage, dit Jésus, ils y *«arrêtent le moucheron»* mais *«engloutissent le chameau»* (Mt 23,24). Pour traduire cette vérité qu'une conviction irrésistible, une foi ardente est capable même de ce qui paraît impossible, il dit qu'elle peut soulever et déplacer des montagnes (Mt 21,21) et que l'on peut voir, sur son ordre et sous son effet, un arbre se déraciner et aller *«se planter dans la mer»* (Lc 17,6). Jésus déclare à Nicodème que, pour accéder au *«royaume»,* il faut opérer en soi un tel retournement qu'il soit comme une nouvelle naissance ; et Nicodème se désoriente. Renaître ! que dites-vous là ? Cela révulse le bon sens ; *«comment un homme peut-il naître, une fois qu'il est vieux ? Peut-il une seconde fois entrer dans le sein de sa mère, et naître ?»* (Jn 3,4). Pour faire comprendre qu'il est lui-même une nourriture, un pain de vie, Jésus choisit le style provocant : *« qui mange ma chair et boit mon sang demeure en moi, et moi en lui »* (Jn 6,56). Cette fois, c'en est trop ; c'est l'insurrection. *« Après l'avoir entendu, beaucoup de ses disciples dirent : Ce langage-là est trop fort. Qui peut l'écouter ? »* (Jn 6,60). Dès lors, reprend et précise le quatrième évangile, *« nombreux furent ceux qui se retirèrent et cessèrent de l'accompagner »* (Jn 6,66) abasourdis et horrifiés comme en présence d'une invitation au cannibalisme.

Il aime sourire et sourit certainement quand il dit à Simon et à André, son frère, tous deux qui gagnent leur vie comme marins pêcheurs sur le lac de Tibériade : Vous preniez des poissons, maintenant ce sont des hommes que vous pêcherez. Et il s'amuse encore, dans sa réponse à Pierre qui lui demande : *« combien de fois »* devra-t-il, pour lui obéir, pardonner à qui lui aura fait tort ; combien de fois, Pierre ? Sept fois ? Mais non, soixante-dix-sept fois sept fois ; ce qui veut dire toujours. Et il se plaît à donner des surnoms. A cause de sa carrure, sans doute, il change en *« Képhas »,* la pierre, le roc, le vrai nom de Shimon ; et il baptise Jacques et Jean *« Boanergès »,* c'est-à-dire *« fils du tonnerre »* en raison, je présume, de leur pétulance.

Homme et *« vrai homme »,* Ieschoua, parmi ses Douze, a plus d'attachement pour l'un d'eux que pour chacun des onze autres — ce qui a dû susciter bien des jalousies. Le quatrième évangile, à plusieurs reprises, met en scène *« le disciple que Jésus aimait »,* celui qui, au dernier repas, était étendu *« tout contre »* le maître (Jn 13,23).

Il lui arrive de s'emporter et contre ces bourgades rétives, Korozaïm, Bethsaïde, Capharnaüm (Mt 11,20-

24) et contre les scribes et les pharisiens dont on ne saurait dire qu'il les ménage quand il les compare à ces *« sépulcres »* soigneusement *« blanchis »* au dehors, mais qui ne sont, au-dedans qu' *« ossements et pourriture »* (Mt 23,27). Et, sur le parvis du Temple, les paroles ne lui suffisent plus ; il agit ; il ramasse (le détail est fourni par Jean 2,15), un paquet de cordes, s'en fait un *« fouet »,* balaie à grands coups et renverse les tables des changeurs avec leurs monnaies empilées, et *« chasse »,* expulse, les *« marchands de bœufs, de brebis, et de pigeons »* qui, dans une affreuse odeur d'abattoir, se livraient, là, à leur trafic pascal.

Ieschoua ne dédaigne pas de tromper, quand il le juge bon. L'Évangile dit de Jean rapporte l'incident qui précéda *« la Fête des tentes ».* Les frères de Jésus, qui le tournent en dérision, lui suggèrent de les accompagner à Jérusalem : Viens donc, ricanent-ils, et fais un peu tes numéros devant un public digne de toi. *« Quand on veut être connu »,* on s'exhibe dans la capitale. Et Jésus leur dit : N'insistez pas : *« vous, montez à la fête ; moi je n'y monte pas » ;* et, poursuit le texte, *« quand ils furent montés à la fête, alors il y monta lui aussi »,* mais *« en secret »* (Jn 7,2-10). Avec beaucoup de ses contemporains, Ieschoua crut à l'imminence de la fin du monde. Homme et vraiment homme, il n'était donc pas à l'abri de l'erreur. La *Revue biblique,* gênée, avoue *« l'extrême difficulté du sujet » ;* c'est en vain que l'on s'évertue à nous persuader que Jésus annonçait seulement la destruction de Jérusalem qui eut lieu en 70 ; Matthieu est clair à souhait : *« Le soleil s'obscurcira, la lune perdra son éclat, les étoiles tomberont du ciel* [...]. *Cette génération ne passera pas que tout cela ne soit arrivé»* (Mt 24,29 et 36). Et *«cela»* n'arriva point.

Cet *«homme de chair»* et, comme écrit Mauriac, *«d'une chair pareille à notre chair»,* on ne peut éviter, à son sujet, la question de la sexualité. Très évidemment, en Palestine, un homme d'*«environ trente ans»* et qui n'avait pas d'épouse, pouvait surprendre. Dans son livre sur l'*Homme de Nazareth,* un livre plein de respect et de tendresse, Anthony Burgess imagine que Ieschoua avait été marié (sans enfant ? ou ses enfants n'avaient-ils pas vécu ?) et qu'il était veuf. Supposition gratuite, que rien n'étaie. Un texte —unique— oriente l'esprit vers la solution du problème. Jésus aurait dit : *«il y a des eunuques»* que la nature a fait tels ; *«il y a des eunuques qui le sont devenus par l'action des hommes, et il y a des eunuques qui se sont eux-mêmes rendus tels en vue du Royaume de Dieu»* (Mt 19,12). Abstention volontaire, qu'aura délibérément voulue Ieschoua, juif pieux, bien avant sa rencontre avec Iokannan.

A bien lire les évangiles, on devine une évolution chez Jésus. Il veut que Iokannan le baptise et ce dernier résiste, disant, selon Matthieu (3,14) : *«C'est moi qui ai besoin d'être baptisé par toi, et toi tu viens à moi !»* Mais Ieschoua insiste et Iokannan accomplit le geste qui lui est demandé. Quelque chose comme un déclic semble s'être produit alors en Ieschoua, événement intérieur que les synoptiques traduisent, dans leur langage imagé, par une spectaculaire intervention divine ; comme Jésus *«remontait de l'eau, voici que les cieux s'ouvrirent ; il vit l'Esprit de Dieu descendre comme une colombe et venir sur lui. Et voici qu'une voix venue des cieux disait : Celui-ci est mon Fils bien-aimé, qui a toute ma faveur»* (Mc 1,9-11 ; Mt 3,16-17 ; Lc 3,21-22). Ieschoua inaugure, peu après, sa vie de prédication. Issu du groupe baptiste, Jésus s'en sépare, semble-t-il, assez vite, après *« un premier ministère en concomitance avec celui de Jean »,* concomitance initiale et qui *« ne dura guère*[1] *».* Le Baptiste portait le vêtement simplifié d'un prophète comme Élie. Ieschoua ne l'imite point et n'invite pas ses disciples à se retirer dans les solitudes ni ne leur impose aucune règle ascétique. Iokannan, d'ailleurs, s'inquiète bientôt de ce qu'on lui rapporte sur l'action de Jésus. Luc nous apprend qu'il délègue auprès de Jésus *« deux »* chargés de mission qui viennent s'informer et l'interroger : *« Es-tu celui qui doit venir* [autrement dit : le Messie], *ou devons-nous en attendre un autre ? »* (Lc 7,18-19) ; mais le récit johannique présente tout autrement les faits, car, selon le quatrième évangile, le Baptiste aurait déclaré dès l'abord : *« Voici l'agneau qui ôte le péché du monde » ; « j'atteste que c'est lui l'Élu de Dieu »* (Jn 1,29 et 34)[2]. Il est possible qu'une distance ait persisté entre disciples de Iokannan et disciples de Ieschoua, et qu'il s'agisse des premiers dans l'incident relaté par Marc et par Luc : ce guérisseur indépendant, *« qui n'est pas des nôtres »,* disent les

1. Cf. Ch. Perrot, *op. cit.,* p. 119.

2. Il est vrai que, selon Jean, c'est *« le lendemain »* du baptême que Iokannan aurait prononcé ces paroles, après la Voix et la colombe, (Jn 1,32). Le Baptiste se serait donc ensuite ravisé, et l'envoi de ses messagers auprès de Jésus atteste qu'il n'était plus sûr d'avoir eu raison et qu'une perplexité l'emplissait.

disciples de Jésus, et qui pourtant *« chasse les démons en ton nom »,* Jésus ne veut pas qu'on le houspille. Peut-être un disciple du Baptiste, lequel vénère Jésus mais sans s'annexer à son groupe.

Jésus semble bien n'avoir pris conscience que graduellement de sa mission universelle. L'épisode de la Cananéenne est, à ce sujet, significatif. S'étant placé, pour sa sécurité, hors des atteintes d'Hérode Antipas, Ieschoua séjourne *« dans la région de Tyr et de Sidon »* désirant *« que nul ne le sache »* (Mc 7,24) ; mais *« il ne put rester ignoré »* car son renom s'était déjà répandu jusque-là. Une femme syro-phénicienne, dont la fille est malade, le supplie de prendre pitié d'elle. Ieschoua refuse de l'entendre ; *« il ne lui répondit pas un mot »* (Mt 15,23). La malheureuse se jette à ses pieds. Il lui adresse enfin la parole, mais pour lui déclarer qu'il ne saurait s'occuper d'elle, païenne, qu'il *« n'a été envoyé que pour les brebis perdues de la maison d'Israël »* et que *« le pain des enfants »* n'est pas fait pour les *« petits chiens*[1] *».* Les disciples interviennent en faveur de la suppliante et, devant son humilité, Jésus cède et, d'un mot, guérit l'enfant. L'idée entre en lui qu'il est « envoyé » pour d'autres encore que les seuls Israélites et ses disciples, à la fin, l'entendront dire : Allez et enseignez *« toutes les nations »* (Mt 28,19)[2].

1. *« Le langage usuel »,* commente *la Bible de Jérusalem,* traitait les païens de *« chiens ».*

2. L'authenticité de l'épisode paraît incontestable car — observe Ch. Perrot — il a certainement fallu du courage à Marc et à Matthieu, et le dur respect de la vérité historique, pour les contraindre à inclure dans leurs narrations un incident qui s'accordait si mal à ce qu'était, en leur temps, la prédication chrétienne.

Deux confusions à éviter. Lorsqu'en 1947 commencèrent à voir le jour les documents de Qumrân, un grand bruit s'éleva : amoindrie, fortement amoindrie, l'originalité du christianisme ; une de ses sources, et sans doute la principale, disait-on, venait d'apparaître : Ieschoua n'aurait fait que prendre la suite d'un mouvement religieux, celui des Esséniens, auquel avaient d'ailleurs fait allusion Pline et Flavius Josèphe. Cette agitation s'est aujourd'hui calmée. D'une part, il n'est nullement certain que les gens de Qumrân aient été des « Esséniens ». Notre connaissance a beaucoup progressé du bouillonnement eschatologique dont le Proche-Orient fut le théâtre au Ier siècle avant notre ère ; les cénobites de Qumrân sont loin d'être les seuls témoins de ces profonds remous. Iokannan en est un témoin lui aussi, sans qu'il soit nécessaire de le croire, de ce fait, d'obédience essénienne. Mais surtout les différences sont profondes entre les conceptions de Qumrân et l'enseignement du Nazaréen. Les sectaires de Qumrân sont des légalistes intransigeants à l'extrême et Jésus n'a rien, à cet égard, qui leur ressemble. A Qumrân l'intolérance est la règle et les *« fils des ténèbres »,* les ennemis de la pure doctrine, sont maudits, haïs [1], alors que Jésus dit, pour sa part : *« Aimez vos ennemis. Faites*

1. *La Bible de Jérusalem* signale, à propos de Mt 5,43 *(« Vous avez appris qu'il a été dit* [...], *tu haïras ton ennemi »),* que ces mots ne se trouvent point dans le *Lévitique.* Il est donc fort possible que Jésus visait ici précisément la doctrine de Qumrân.

du bien à ceux qui vous haïssent» (Lc 6,27). Les *«moines»* de Qumrân vivent dans une âpre et totale séparation du monde ; et Jésus, loin de donner l'exemple d'une existence cloîtrée, demeure plongé dans la vie collective pour y servir de *«levain»*.

Deuxième interprétation erronée, dont les événements de 1940-1945 sont sans doute responsables : Ieschoua pris pour un résistant dressé contre l'occupation romaine. Les patriotes juifs avaient déjà tenté, et tenteront encore, maints soulèvements ; ils étaient communément appelés *«zélotes»* et il se peut que certains des Douze leur aient d'abord appartenu. Ieschoua travaille sur un autre plan. Il n'écarte point la requête du centurion (il est vrai que les disciples soulignent l'active amitié que portait aux Juifs cet officier de l'armée romaine ; cf. Lc 7,2-10). Jésus craint vivement que l'on ne se méprenne à son sujet, quant à son rôle messianique. Le Messie attendu devait être un chef de guerre qui rétablirait la grandeur politique d'Israël. Or tel n'était pas le dessein de Jésus et on le voit rabrouer Pierre sans douceur quand il l'entend protester devant la prédiction du terrible accueil qui lui sera réservé, à lui Jésus, à Jérusalem *«de la part des anciens, des grands prêtres et des scribes» ;* ce n'est pas ainsi que Pierre se représente le destin de l'Élu ; il s'indigne et, *«tirant à lui»* le maître, il lui reproche à voix basse d'être à ce point décourageant. (Pierre *«morigénait»* Jésus, disent textuellement Marc et Matthieu ; Mc 8,32 ; Mt 16,22). Et Pierre lui ayant dit, *«tu es le Christ»,* c'est-à-dire l'Élu du ciel, Jésus *«enjoignit sévèrement à ses disciples de ne parler* [ainsi] *de lui à personne»*, (Mc 8,30 et Mt 16,20), tant il redoute un contresens sur son action[1]. Mais si Jésus n'est pas un guérillero, il n'en a pas moins une position affirmée sur le pouvoir des occupants et ses limites. On lui tend des pièges, on guette ses paroles, et les pharisiens l'interrogent un jour : selon toi, l'impôt à César, faut-il le payer, ou non ? Il demande une pièce de monnaie, en présente l'effigie, et répond : *« Rendez à César ce qui est à César » ;* mais la suite est claire : *« et à Dieu ce qui est à Dieu »* (Mt 22,21) ; ce qui constitue un refus radical de l'État totalitaire.

Sur l'arrestation et la mort du Nazaréen, en dépit de quelques divergences minimes d'un texte à l'autre, on voit assez bien comment, dans l'ensemble, les choses se déroulèrent.

Ieschoua avait fini par amasser contre lui un stock de haines. Nous avons déjà vu que *« les siens »* lui en voulaient : il a compromis une famille honnête, estimée, rangée. A-t-on idée de rompre, comme il l'a fait, avec la vie normale qu'il menait, charpentier, pour courir les routes avec une bande de mendiants et devenir un vagabond, un marginal, qui ne « travaille » pas, ne gagne pas sa vie et ne subsiste que d'aumônes ? Il a planté là son métier, refusé les commandes, et il joue au

1. Selon certains commentateurs — et cette idée n'est pas à rejeter trop vite — la « tentation » de Jésus au désert serait précisément celle du pouvoir temporel. Il se sent élu et le rôle le tente de chef national. Il se bat avec lui-même et résiste. L'homme Jésus, Jésus « vrai homme », n'aura pas été épargné par deux tentations au moins, celle du pouvoir et, à la fin, celle du doute.

prophète et au thaumaturge. Il a *« perdu le sens »,* c'est l'explication la plus bénigne ; on cherche à *« se saisir de lui »* (Mc 3,21) pour le bâillonner, l'enfermer, l'empêcher de nuire. Mais d'autres, à Nazareth, sont encore plus rudes. Après les propos qu'il a tenus dans la synagogue sur Élie et sur Élisée qui, mal reçus *« dans leur patrie »,* portèrent en d'autres lieux leurs bienfaits, certains, *« remplis de fureur »,* l'ont *« entouré »,* encerclé, bousculé, *« poussé »* même jusqu'à un *« escarpement »* dans l'intention ouverte de *« l'en précipiter »* (Lc 4,29-30). Comment leur a-t-il échappé ? Le texte tourne court : *« mais lui, passant au milieu d'eux, allait son chemin. »* Ont-ils reculé devant le lynchage ? Des parents de Jésus se sont-ils interposés ? Toujours est-il qu'ayant frôlé la mort, il s'en est tiré de justesse.

Mais il ne se tirera pas d'affaire du côté des grands notables à Jérusalem, et des hommes du Temple. Le Nazaréen fréquente des infréquentables, fustige les vertueux satisfaits d'eux-mêmes, les dévotions ostentatoires, l'hypocrisie de ceux qui *disent* mais ne *font* point. Les dévots sont exaspérés par cet homme qui leur jette à la face : *« les prostituées »* entreront chez Dieu avant vous (Mt 21,31) ; *« le sang d'Abel »* est sur vos mains (Lc 11,51) ; *« vous êtes les fils de ceux qui ont assassiné les prophètes »* et *« vous comblez la mesure de vos pères »* (Mt 23,31-32). Haut-le-corps, suffocations de révolte, anathèmes intégristes devant le peu de cas que fait Ieschoua, publiquement, des prescriptions rituelles quant au choix des aliments, et cette audace de sa part, inouïe, concernant le sabbat dont il déclare que l'homme libre est le maître d'en apprécier, selon les cas, le respect. Dans sa parabole du Samaritain, pour flétrir l'indifférence inhumaine, quels personnages a-t-il mis en scène? Un *«prêtre»* puis un *«lévite»* (Lc 10,31-32). Inqualifiable outrage. Enfin quoi, cet homme de rien, ce manuel, simple artisan rural et qui n'a pas la moindre qualification officielle, de quoi se mêle-t-il, affectant au surplus de parler comme ayant autorité? *(«Il a été dit, eh bien moi, je vous dis...»); «les contacts de Jésus avec les prêtres semblent presque inexistants»; «ce n'est pas là son monde»,* note Ch. Perrot[1]. Les autorités de Jérusalem, et principalement le groupe des sadducéens, parti clérical, aristocratique et fort ami des Romains, sont déterminés à en finir avec ce perturbateur hérétique dont la conduite à l'égard des changeurs et des marchands, sur le parvis du Temple, a constitué un attentat aux bénéfices du clergé qui contrôlait ces opérations et en tirait profit. Toucher à l'argent, c'est mortel et donc, en haut lieu, on veut sa mort. Mais l'occupant se réserve les sentences capitales; lui seul peut décider d'une exécution. Il faut donc, pour le grand prêtre et ses acolytes, s'adresser au *«préfet»* Ponce Pilate, représentant de César et détenteur d'un pouvoir absolu[2]. Par chance, c'est la Pâque, et le préfet, à cette occasion, quitte toujours sa résidence habituelle de Césarée, sur la côte, pour être présent en personne à Jérusalem avec des troupes supplémentaires, tant que dure la Fête et ce rassemblement de foules venues de toutes parts, occasion de troubles nationalistes toujours possibles, toujours à craindre. L'heure est donc propice.

1. *Op. cit.*, p. 146.
2. *«Préfet»* était le titre réel de Ponce Pilate; *«préfet de Judée»*; le *«préfet»* ne devint *«procurateur»* qu'à partir de 41.

Les meneurs de jeu commencent par procéder à l'arrestation du fâcheux. S'assurer d'abord de sa personne ; on verra ensuite à manœuvrer au mieux avec la Kommandantur pour obtenir d'elle la mesure décisive qu'on veut lui extorquer. D'après le quatrième évangile, la « bande » qui vint s'emparer de Jésus, au jardin des Oliviers, n'était pas composée seulement, comme l'indiquent Marc et Matthieu, de *« gardes »* du Temple ; des soldats romains en auraient fait partie également (Jn 18,3), ce qui n'est pas inadmissible, Hannon et Caïphe ayant eu sans doute l'habileté de requérir l'appui des forces d'occupation contre le dangereux individu que l'on s'apprête à leur livrer. L'affaire se passe dans la nuit du jeudi au vendredi et Jésus est conduit au palais du grand prêtre.

C'est alors que se produit un incident si grave qu'il n'est absent d'aucun de nos quatre textes. Je veux parler du reniement de Simon-Pierre. Jésus avait averti ses disciples qu'ils allaient être soumis à une épreuve et il s'attendait, de leur part, à des déceptions. Pierre avait déclaré : je ne sais pas ce que feront les autres, mais moi, maître, je serai l'archifidèle, sans l'ombre d'une défaillance, jusqu'au bout, y compris la mort s'il le faut ; *« Je donnerai ma vie pour toi »* (Jn 13,37 ; Mc 14, 26-31 ; Mt 26,35 ; Lc 22,33). Or, Jésus arrêté, Simon-Pierre le suit, ravagé mais prudent, au palais du grand prêtre et, tandis que Hannon et Caïphe procèdent à un premier interrogatoire du captif, Pierre se chauffe à un brasero, dans la cour, parmi *« les serviteurs et les gardes »*. Une servante le reconnaît : elle l'a vu, elle en est sûre, aux côtés de Ieschoua, et elle le lui dit. Pierre nie, s'emporte : « C'est faux ! Tu te trompes ! »

Et, deux fois encore, Pierre, incriminé et que son accent (dit Marc) révèle galiléen, deux fois encore Pierre proteste, et ment, avec la dernière violence, multipliant les *« imprécations »* (Mc 14,71 ; Mt 26,74) ; cet Ieschoua dont vous voulez me faire complice, *« je ne le connais pas »*, je ne sais de quoi vous parlez [1].

Au matin du vendredi, le Sanhédrin tient séance. Il n'a d'autre « ordre du jour » que de muer en une sentence régulière la résolution informelle prise, au début de la nuit, entre augures : le *« blasphémateur »* nazaréen doit mourir. Encore faut-il, pour convaincre les Romains de le tuer, le faire passer auprès d'eux pour un rebelle, mettant en péril la tranquillité publique. On livre donc le prisonnier à Pilate en lui attribuant l'intention de se proclamer *« roi des Juifs »* (Ieschoua est galiléen ; détail utile, car la Galilée a mauvaise réputation, les tumultes de résistants y sont fréquents). Pilate comprend sans

1. Qu'il me soit permis, d'ouvrir ici une parenthèse pour souligner, à propos de Pierre, un fait étrange. Marc, nous dit-on, et il semble bien que ce soit exact, travailla d'après les souvenirs de Pierre. On s'attendrait donc à ce que ce fût dans l'évangile de Marc qu'apparaisse l'« intronisation » de Pierre : *« Tu es Pierre et sur cette pierre je bâtirai mon église. »* Eh non ! Manque chez Marc, et chez Luc et chez Jean, cette apostrophe d'ordination. Elle figure chez Matthieu seul (16,18). Je me demande donc s'il ne conviendrait pas de chercher son origine dans les querelles que suscitèrent les prétentions impérieuses de Paul. Pierre reste très « hébreu » et Paul lui fait l'effet d'un dissident. Peut-être Matthieu, lui aussi très attaché à l'ancienne loi, a-t-il voulu dans le débat, fournir à Pierre la caution irrésistible d'un privilège à lui accordé, formellement, par le Seigneur en personne ; que le gaillard Paul se le tienne pour dit. Hypothèse. En revanche, un consensus s'est établi entre les exégètes : la phrase rapportée (?) par Matthieu est une adjonction de date incertaine.

peine que les prêtres, pour des raisons qui ne l'intéressent en rien, cherchent à lui soutirer une sentence de mort contre un homme qui ne lui paraît pas tel qu'on le lui décrit. L'affaire, néanmoins, est délicate, car il lui est difficile de se montrer moins attentif aux intérêts de César que ces collaborateurs pleins de zèle. Il croit trouver une échappatoire. La Galilée n'est pas, comme la Judée, directement soumise à Rome ; c'est un protectorat où Hérode-Antipas exerce un semblant de pouvoir. Le cas du Nazaréen relève donc d'Antipas ; et précisément Antipas se trouve, lui aussi, pour la Fête, à Jérusalem. Trop heureux de cette circonstance, et ravi de son idée, Pilate fait remettre le prisonnier à la discrétion du tétrarque. Antipas a gardé un souvenir pénible de cet assassinat du Baptiste — un homme qui l'intéressait, le troublait — auquel il a consenti pour plaire à Salomé. Une nouvelle exécution ? Antipas y répugne et, cette fois, Hérodiade le laisse en paix. Malgré les vociférations des prêtres et des scribes (cf. Lc 23,10), il s'esquive et, affectant de s'effacer devant l'autorité romaine, il restitue l'inculpé à Pilate, lequel cherche encore le moyen de ne pas ordonner la mort d'un accusé qu'il tient pour innocent. Aux yeux des sadducéens peut-être Ieschoua est-il gênant, et Pilate veut bien, pour les satisfaire, le *« châtier »*, mais il souhaiterait se dispenser de l'immoler. Lors de la Pâque, l'usage est de relâcher un condamné. Pilate propose donc à la foule groupée derrière *« les chefs »* (Lc 23,13) de libérer ou Ieschoua ou le nommé Barabbas, coupable, lui, d'un *« meurtre »* (Jn 18,40) et sans doute le préfet compte-t-il que l'on n'osera pas donner à Barabbas la préférence sur Ieschoua qui, lui, n'a tué personne. Mais il est possible que Barabbas ait été un *« zélote » ;* le texte signale qu'il avait pris part à une *« émeute » (ibid.).* Les prêtres n'ont pas besoin d'exciter la foule à crier : *« Barabbas ! »* et, sans doute, lorsque le Nazaréen était entré dans la ville entouré d'acclamations, beaucoup avaient espéré qu'il allait agir, se dresser contre les Romains avec de puissantes complicités secrètes qui n'attendaient pour s'insurger que sa présence et son signal[1]. Et rien ; Ieschoua s'est abstenu de tout appel à l'insurrection. Raison de plus, en conséquence, pour réclamer la libération de Barabbas. Pilate est bien obligé de céder. Il est dans la dépendance du légat de Syrie et risquerait d'être dénoncé pour incurie à ce redoutable supérieur.

Ieschoua sera donc crucifié. C'est le supplice réservé aux fauteurs de troubles et sept mille croix — sept mille — s'étaient élevées au siècle précédent, le long de la Via Appia, pour les miliciens de Spartacus qui s'étaient rendus aux légions après avoir, deux ans durant, grandement apeuré, à Rome, les propriétaires. La mort par crucifixion était particulièrement atroce. On plantait ferme dans le sol, avec des cales en forme de coins, une lourde pièce de bois pareille, en plus court, aux poteaux qui formaient les remparts des fortins ; une autre pièce, plus mince, était adaptée, transversalement à la première, pour l'extension des

1. Une preuve en est dans le texte de Luc (24,21) : les deux disciples, pleins de tristesse qui, le dimanche matin *« font route »* vers Emmaüs, ne cachent pas leur désappointement quant au maître qui les a déçus. *« Nous espérions,* disent-ils, *que c'était lui qui délivrerait Israël » ;* et il n'a pas dit un mot, pas fait un geste en ce sens.

bras. Sous le torse du crucifié nu, une sellette, plus ou moins coupante, se trouvait adjointe à la poutre verticale afin que le poids du corps n'arrachât pas les clous qui, trouant les poignets, fixaient le supplicié à la croix. La mort venait par asphyxie. Le Nazaréen, cloué entre deux criminels qu'on liquidait en même temps, mourut le premier, épuisé qu'il était déjà par les coups qu'il avait reçus, les lanières plombées avec lesquelles on l'avait flagellé, le bonnet d'épines qu'on lui avait enfoncé dans la peau du crâne.

L'exécution avait eu lieu sur un petit tertre, dit « Golgotha », situé — ainsi que me l'expliqua, sur place, le RP Vincent, en janvier 1938 — à deux pas d'une des portes de Jérusalem, la *Porta stercorum* (c'est-à-dire des immondices). Vraisemblablement, le Golgotha, un dépotoir.

Pour le préfet, l'affaire Ieschoua n'avait été qu'un désagréable incident local. Le légat impérial n'y attacha, on peut le présumer, qu'une attention distraite. Petit drame, banal et sans gravité, qu'avait réglé, très vite et comme il le fallait, son subordonné Pilate. Quant au bureau de Rome où parvint le rapport officiel, il est infiniment probable qu'on y classa ledit rapport, à peine parcouru, d'un regard blasé, par quelque sous-ordre, dans les oubliettes des archives coloniales. Nul ne pouvait prévoir, pas plus en Syrie-Palestine que dans la métropole, ce qui allait sortir, pour le destin du monde, de cet épisode infime.

Les textes sont durement explicites sur la conduite

des disciples : Jésus arrêté : *« l'abandonnant, ils s'enfuirent tous »* (Mc 14,50) ; *« alors les disciples l'abandonnèrent, et tous s'enfuirent »* (Mt 26,56). C'est la débandade, la débâcle. Éperdus, ils connaissent une désillusion affreuse. Tout ce qu'ils ont cru — et dans quelle ivresse de joie ! —, c'était faux. Oui, Ieschoua, un thaumaturge, un guérisseur, comme il y en a toujours eu dans le pays ; mais on s'était imaginé bien autre chose à son sujet : que Dieu était avec lui, qu'il était bien l'Élu annoncé par les prophètes, qu'il venait tout changer. Et succédant à cet éblouissement, un fiasco, un incroyable et lamentable et ignominieux fiasco. Drôle d'Élu, drôle de Messie, qui termine sa carrière par le plus infamant des supplices. Ce n'est pas qu'il nous ait trompés, le pauvre. Sincère et bon, naïf et bon, sûrement, mais égaré, mais en délire. Cette fin si piteuse ! Il ne les a guère impressionnés, intimidés, les prêtres, le préfet, et le tétrarque. Ils ont fait de lui un jouet et l'ont ridiculisé avant de le mettre à mort. Et lui, un objet inerte... Pierre l'a renié et les autres se terrent, dans l'effroi d'une rafle, sauf Jean que Caïphe, on ne sait pourquoi, protège (Jn 18,15) et qui se sent couvert.

Guignebert a raison : *« La logique,* écrit-il, *voulait que tout s'arrêtât là. »* Terminée, et de la pire manière, l'aventure du Nazaréen. La pièce est finie. Rideau. Un abominable four. Après un pareil échec, tout doit se dissoudre. Tellement de chagrin et de honte ! Tellement humiliés, les « disciples » d'hier ! Et voilà qu'en peu de jours ces abattus, ces écrasés se transfigurent. Tout désenchantement aboli. Un bonheur s'y substitue, une fulguration de bonheur. Une joie si violente, si fougueuse que la félicité d'hier, pourtant ardente lorsqu'on marchait avec le Nazaréen sur les routes, n'est qu'une braise à côté de ce flamboiement. Et la peur n'existe plus. Disparue au point que ces fuyards désemparés du « samedi saint » vont affronter le martyre même — martyre au sens propre, originel, étymologique, c'est « témoignage » — plutôt que de renoncer à dire ce qu'ils ont à dire, ce qu'il faut qu'ils disent, coûte que coûte, tant c'est prodigieux, tant cela confirme enfin, enfin, ce qu'ils avaient cru.

L'unique explication de cette métamorphose, c'est qu'ils vivent maintenant dans la conviction d'avoir connu cette chose inouïe dont ils affirment qu'elle leur est arrivée. Le constat de l'Histoire ne peut pas être : le Nazaréen ressuscita, car nul ne sait au juste ce qui s'est passé. Mais l'Histoire [illegible] doit d'enregistrer comme un fait établi, indéniable, comme une certitude exempte du moindre coupage de doute, que les disciples de Ieschoua ont cru, comme on croit à une vérité d'évidence, avoir revu vivant celui qui venait d'expirer. *« Je crois,* dit Pascal, *les témoins qui se font tuer. »* Les martyrs chrétiens ne prouvent pas que leur Christ *« a vaincu la mort »* mais ils prouvent que, de toute leur âme, ils en étaient persuadés. On ne se fait pas tuer pour soutenir une imposture.

II

LES OBSTACLES

Ceux qui, jadis, entendirent le Nazaréen leur parler recevaient de lui une « bonne nouvelle » intacte. Il n'en va plus de même aujourd'hui. Des écrans, des barrages, et jusqu'à des murailles s'interposent entre les paroles de Jésus et la génération présente. Des faits se sont produits qui compromettent et défigurent « le message » au point de le rendre méconnaissable. Le christianisme naissant avait toute sa pureté. Le « christianisme » d'aujourd'hui a un passé, un lourd passé. Difficile entreprise, gageure, que de s'adresser aux gens par-dessus, ou à travers, l'énormité de l'obstacle, de faire comme si cet obstacle n'existait pas. Or il existe, massif, opaque, effrayant.

De quoi parlez-vous ? Allons ! Chacun le sait bien. Quoi de commun entre Ieschoua et les papes de la Renaissance ? Quoi de commun ? Mais le nom, malheureusement ; car Alexandre VI comme Jules II se donnaient pour les représentants, les « vicaires », de Jésus-Christ. Ai-je besoin d'évoquer l'Inquisition, les carnages d'Indiens, les bûchers de Juifs ? Et le pape Grégoire XIII, en 1572, qui chante le *Te Deum* en l'honneur de la Saint-Barthélemy et fait frapper une médaille commémorative ? Le drame a commencé avec Constantin, aggravé par Théodose. Le christianisme *« religion d'État »*, avec la police à ses ordres, c'est son arrêt de mort. Être chrétien, auparavant, était un risque et cela devient une carrière. Après les évêques martyrs, les évêques de cour. Autrement dit, la catastrophe. De persécuté hier, le christianisme se fait persécuteur à son tour et l'histoire est là pour nous apprendre sinistrement que l'Église suscita *« moins de martyrs que de bourreaux »*. Déjà, au IIIe siècle, reparaissait en elle l'organisation judaïque dont Jésus avait voulu libérer ses disciples ; puis elle se coula dans le moule que lui offrait le gouvernement des Césars (*« Il fallait le préfet pour qu'il y eût l'évêque »*, clamera un Péguy enthousiaste) ; elle prit pour capitale la Rome païenne parce que cette ville était, ou avait été, le centre politique du monde et que la religion victorieuse aspirait à une égale domination ; elle ne vit pas d'inconvénient à ce que le *« pontifex maximus »* devînt, chez elle, le *« souverain pontife*[1] *»*. Dans une religion d'État, l'option, de personnelle qu'elle était — et doit être —, se fait grégaire. Les sujets sont tenus de partager la foi du prince ou, dans le cas inverse, et tout semblable, d'un État athée, l'athéisme militant de l'État. Pour comble d'infortune et d'errance, à partir du VIIIe siècle, le *« successeur de Pierre »* — dans quelle mesure l'est-il vraiment ? — prend l'aspect d'un chef d'État, avec tout

1. Après la contamination judaïque, l'invasion du juridisme latin ; et l'on vit, avec les siècles, l'obligation absolue d'assister à la messe dominicale prendre la suite de l'observance du sabbat.

ce qu'implique cette fonction. J'imagine la stupeur du Nazaréen reparaissant à l'improviste, s'il avait contemplé, à Rome, celui qui se disait son délégué, son mandataire, occupé à nommer des gouverneurs de province, percevoir des impôts, recruter des mercenaires, réduire par la force les révoltes civiles de ses administrés. C'est le pape chef d'État (celui-là s'appelait Grégoire XVI) qui, faisant partie, en tant que tel, du Syndicat des princes contre la liberté des peuples, condamne, en juin 1832, l'insurrection polonaise contre le tsar. Peu importe au pape que ces hommes se soient levés pour des raisons religieuses autant que nationales et défendent leur foi contre les persécutions schismatiques ; Grégoire XVI foudroie ces évêques indignes qui ont osé résister à leur souverain *(« tsar »* c'est *« César »)* lequel, étant le Pouvoir, doit être obéi à l'égal de Dieu, car tout Pouvoir, comme on sait, *« vient de Dieu ».* Et c'est en sa qualité d'État que le Vatican a cru devoir, en la personne de Mgr Domenico Enricci, envoyer un *« légat pontifical »* au sacre de *« l'empereur Bokassa Ier ».* Si se conduisent de la sorte les dirigeants d'une *« ekklesia »* qui ressemble si peu au groupe profane et communautaire fondé par *« krestos »,* que dire, au cours des siècles, des « chrétiens » patentés, depuis le roi *« très chrétien »* responsable des dragonnades jusqu'à ces *« grands croyants »* à la façon de M. de Montalembert et de M. de Falloux, et qui, saisis d'effroi devant le frémissement des esclaves en 1848, après avoir, à coups de canon, ôté pour un temps aux exploités le goût des revendications, firent passer l'enseignement tout entier sous le contrôle ecclésiastique, rappelant aux prêtres que leur premier devoir était d'apprendre aux démunis la vertu de résignation. Dans la pensée du comte de Falloux, l'éducation nationale n'avait d'autre objet que de préparer à l'Argent-roi des générations courbées. C'est à ces opérateurs que, le 15 janvier 1850, à l'Assemblée, Victor Hugo dédia ces mots trop lucides : *« Je ne vous confonds pas avec l'Église. Vous êtes les parasites de l'Église. Vous êtes la maladie de l'Église. Ne l'appelez pas votre mère pour faire d'elle votre servante. Vous vous faites si peu aimer que vous finirez par la faire haïr. »* Les plus beaux, les plus ardents de ces « cléricaux » passionnés étaient ceux que le même Hugo définissait avec pertinence : étrange, disait-il, admirable, depuis l'apparition des *« terreurs propriétaires »*, le nombre grandissant, le fourmillement des *« athées de la nuance catholique »* type Adolphe Thiers, type Alfred de Vigny. Ce dernier, agnostique hautain, n'en parlait pas moins avec componction de cette *« armée du Christ »* si providentielle et dont il faut savoir préserver l'unité pour faire face à *« la barbarie sortie de ses repaires »* — il voulait dire au cri d'angoisse, à l'appel au secours des victimes de l'iniquité. Et nous verrons dès lors fleurir en France cette race, qu'illustrera longtemps un Maurras, d'incroyants trop peu sots pour donner, quant à eux, dans les billevesées christicoles, mais chauds alliés de *« l'Église de Rome, Église de l'ordre »*. Le cléricalisme sans Dieu est le plus efficace des repoussoirs et l'on ne saurait mesurer le mal qu'il a fait au christianisme, tant il laissait entendre : bons pour les imbéciles, mais oui, mais d'accord, le bavardage, les insanités des croyants ; seulement, et par bonheur, nombreux sont encore, dans la plèbe, les esprits lourds que fascinent ces balivernes et qui, les gobant, y gagnent une discipline dont profitent les *« gens de bien »*. Peu surprenants, dans ces conditions, les rapides progrès de l'incroyance chez les travailleurs. Quand on aura noté, au surplus, qu'en Espagne le putsch militaire contre la République en 1936 sera béni par le pape (le troisième État qui « reconnaîtra » Franco, à la suite de l'Italie fasciste et de l'Allemagne nazie, sera l'État du Vatican) ; quand un témoin direct de ce qui eut lieu à Majorque pourra déclarer : *« J'affirme, j'affirme sur l'honneur qu'au cours des six mois qui précédèrent la guerre civile* [c'est-à-dire des élections de février 1936 jusqu'en ce mois de juillet où Franco prit les armes] *il ne s'est commis dans l'île aucun attentat contre les personnes ou contre les biens »* et que, cependant, dès le débarquement des bandes fascistes, les rafles d'innocents commencèrent, avec exécutions en masse — ignominies qui ne retinrent point l'épiscopat espagnol de lancer son manifeste où était célébré comme une croisade le coup de force des généraux ; quand, dans plusieurs pays européens, s'intitulent officiellement « chrétiens » des partis politiques dont le christianisme vécu est le dernier des soucis ; quand, pendant la guerre du Vietnam, on a pu entendre un cardinal baptiser *« soldats du Christ »* les GI exterminateurs, on comprend mieux l'humour noir de Bernanos sur la « déchristianisation » : *« Être devenu la bête noire des hommes libres et des pauvres avec un programme comme celui de l'Évangile, convenez qu'il y a de quoi faire rigoler*[1]. » La dissemblance a été — est toujours —

1. Et il n'est pas inopportun de rappeler que les « chrétiens » ont, dans l'antisémitisme meurtrier, une responsabilité qui est

effrayante entre l'action du Nazaréen et le comportement de beaucoup qui prétendent se réclamer de lui. Toucher des cœurs, remuer des âmes avec des mots vierges, l'entreprise était simple. Il en va tout autrement quand il s'agit de mots usés, ternis, prostitués et que l'auditeur ne perçoit qu'à travers d'innombrables et permanentes altérations. Vous dites : « Jésus-Christ », et qui vous écoute entend Escobar ou Tartufe. Vous dites : « Sermon sur la montagne », et l'interlocuteur pense aussitôt à l'assassinat par le feu de Jean Hus, Savonarole et Giordano Bruno. Vous dites : « Évangile », et les gens comprennent *Syllabus,* et infaillibilité pontificale.

Ce qui m'amène au deuxième obstacle : l'idéologie surajoutée au message qu'elle se proposerait, à l'en croire, de clarifier, de mettre en forme pour la satisfaction des exigences intellectuelles. On admire la loquacité des théologiens sur l'Être qu'eux-mêmes déclarent incernable, inexprimable, inconnaissable, échappant, de soi, à nos catégories ; sur cet indicible, ils n'en sont pas moins volubiles à ravir, faisant naître inévitablement en nous, qui assistons à leurs exercices, le soupçon (déshonnête) de vacuité ou de forfanterie. Je ne voudrais

lourde. On oublie trop que Luther, à la fin de sa vie, a dirigé contre les juifs des diatribes féroces. Quant à l'Église catholique, il n'est pas une seule des persécutions monstrueuses dont se glorifia le nazisme, pas une seule dont le catholicisme ne lui ait donné l'exemple : exigence d'un signe vestimentaire distinctif, exclusion de certaines professions, bannissement général, bûchers, tout cela appartient au Moyen Age dit « chrétien ».

scandaliser personne, et je m'expose, je le sais bien, aux plus sévères admonestations, mais je dois avouer que de très illustres agencements théologiques me paraissent d'une frivolité accablante. Souvenons-nous de Thomas lui-même, le docteur Thomas d'Aquin, saint Thomas qui tenait en piètre estime ses propres constructions ; tout cela, disait-il, n'est guère que *« de la paille » (palea).* Mais Léon XIII déclara le thomisme fondamental et insurpassable. D'où — écrivait Sulivan en connaissance de cause — ces générations de séminaristes à qui l'on fit obstinément *« manger de la paille ».* Curieux, du reste, comme tel personnage considérable, mais qui n'avait pas à en connaître, eut soin de s'intéresser cependant, et de très près, au travail des spécialistes en ce domaine. Il importe en effet de n'oublier point que le concile de Nicée d'où sortit le *« symbole »* impératif, fut convoqué (à quel titre ?) par un Constantin non chrétien, quant à lui, et se déroula dans une dépendance de son palais d'été, sous l'étroite surveillance du maître qui présida les séances et promulgua les décisions. Constantin ne croit pas, ne croit en aucune façon à « Jésus-Christ » ; c'est un païen et qui ne se convertira (s'il l'a fait) qu'au seuil de la mort en 337. Lorsqu'il ordonne, en 325, la réunion de Nicée, Constantin est seulement quelqu'un d'avisé, un réaliste, un « pragmatique » et qui, devant la montante importance numérique prise dans son empire par les sectateurs de *« Krestos »,* tire de ce fait les conséquences qui s'imposent pour le bien de son gouvernement. On ne saurait douter qu'il pesa sur les décisions d'un congrès qu'il avait organisé en personne et dans une intention précise ; officiellement investi d'une autorité divine, le

« Sauveur » des chrétiens serait pour le Pouvoir un auxiliaire incomparable, recommandant à ses fidèles une parfaite docilité civique. Les successeurs de Constantin n'approuvèrent pas tous son calcul, estimant qu'au lieu d'affermir le trône cette politique lui créait une concurrence dangereuse. Mais Théodose qui accède, en 379, à la direction des affaires, estime que Constantin avait vu juste, sans aller assez loin. Théodose saute le pas et fait du christianisme (confirmé dans sa formule nicéenne par le concile de Constantinople) la religion de l'État, et interdit le culte païen dont il s'approprie les ressources.

Graves, je trouve, et sombrement instructifs, les termes choisis par le concile d'Éphèse, en 431, pour régler son compte à Nestorius, le patriarche de Constantinople, coupable de préférer, pour la vénération de Marie, l'expression *« mère du Christ »* à celle qu'entraînait la logique de Nicée : *« mère de Dieu »*. Les voici, ces termes exemplaires : *« Notre Seigneur Jésus-Christ a décidé, par cette très sainte et présente assemblée, que Nestorius est étranger à la dignité d'évêque. »* Des mots à peser. Les compétents d'Éphèse, toute humilité bannie, déclarent qu'ils constituent une assemblée *« très sainte »*, privilège qu'ils se décernent afin de conférer à leur décision un caractère intouchable ; mais j'ai tort de dire : « *leur* décision » ; ils n'ont rien décidé, quant à eux ; qu'on le sache bien, et ils le soulignent. Ils ne sont que les truchements, les hérauts, de *« Notre Seigneur Jésus-Christ »* qui s'exprime par leur bouche. Le procédé me paraît assez terrifiant [1].

1. Et d'autant plus qu'un coup de force avait eu lieu, l'ouverture du concile ayant été brusquée pour prendre de vitesse les délégués

Par surcroît, je vois mal en quoi ces sentences, principes et règles de foi édictés par des théologiens qui s'arrogent une autorité décisive, confirmée par le Prince, je vois mal en quoi les définitions qu'ils élaborent contribuent à la réalité d'une vie chrétienne. Et je me persuade difficilement de l'importance que peut revêtir pour la vie intérieure — la seule où prend racine une foi sérieuse — l'obligation faite aux chrétiens d'articuler, sur la Trinité par exemple, des mots qui leur sont proprement inintelligibles. Un Dieu en trois « personnes » ? Mais si *« persona »,* en latin, a le sens précis de *« masque de théâtre »,* le mot « personne » dans notre langue, implique destin individuel, aventure unique ; et s'il est déjà dangereux de nous représenter Dieu comme une « personne » — Dieu n'est assurément pas une « personne » comme l'homme en est une —, l'esprit s'effare à l'idée d'un seul être qui en réunirait trois. Que l'on me pardonne de citer ici un penseur fort estimé en cour de Rome (car le pape a une *« cour »* comme celle qu'attribuait Péguy à la Vierge[1]) et qui nous proposait ainsi la contagion de ses transports devant le dogme de la Sainte Trinité : *« C'est la*

d'Antioche, amis de Nestorius. Si bien qu'à leur arrivée, trop tard, c'est la sécession ; ils tiennent leur concile à eux, et les deux groupes échangent des anathèmes.

Notons également qu'au concile de Constantinople, en 381, pas un seul évêque latin n'avait été invité, pas même l'évêque de Rome ; et que les quatre premiers conciles « œcuméniques » — celui de Nicée en 325, celui de Constantinople en 381, celui d'Éphèse en 431, et celui de Chalcédoine en 451 se réunirent tous les quatre sur l'ordre du pouvoir civil.

1. *« O reine qui régnez dans votre illustre cour... »* (Péguy, *Prière de résidence*).

dépendance à la fois exaltée et niée; c'est le rêve incestueux de l'enfant selon Freud qui se trouve accompli, purifié, sublimé[1]. » Seront illuminés, j'espère, par cette glose incandescente les lecteurs moins balourds que moi ; mais je crains pourtant que, même ainsi commenté, le mystère d'un Dieu triple ne compte parmi les regrettables compléments que les théologiens ont ajoutés à la Parole et à propos desquels un Tolstoï irrespectueux à l'excès disait de l'Église (russe) qu'elle *« fait infailliblement des athées ».*

Pendant des siècles, les catéchisés ont été dressés à souscrire sans problème à un scénario mis au point par saint Paul et que perfectionna saint Augustin. Paul enseigne (Ro 5,12) : *« De même que par un seul homme* [Adam] *le péché est entré dans le monde* [...] » (la suite étant comme on sait, qu'un *« seul homme »* aussi, Jésus-Christ, a tout réparé). Adam et Ève ont commis ce *« péché originel »* (une désobéissance) qui les a perdus, eux et leur entière descendance ; mais le Christ est venu expier, au prix de son sang, l'horrible offense

1. Jean Guitton, dans *le Figaro* du 13 avril 1978. Je ne doute pas que Jean Guitton n'attache un grand prix à l'adjonction du *« filioque »,* mais j'ai beaucoup de peine à le suivre. Le symbole de Nicée déclarait que l'Esprit-Saint procédait *« du Père par le Fils ».* En Espagne d'abord, au VIIe siècle, puis vers le IXe siècle dans les églises françaises, une formulation nouvelle s'imposa : l'Esprit-Saint « procède du Père *et* du Fils », *(filioque).* Et de là vint — au moins en apparence — la grande cassure que l'on sait entre l'Église d'Occident et l'Église d'Orient. Le chrétien attentif à la réalité vivante du christianisme dans les cœurs éprouve une sorte de consternation devant cette bagarre de docteurs sur ce qui ne peut qu'échapper à leur entendement, et songe douloureusement à ce que devient le Verbe quand il se dissout dans le verbiage.

ainsi faite à Dieu. Tout de suite, deux remarques. *Primo :* l'apologue d'Adam et d'Ève suppose le « monogénisme » : un seul couple à l'origine de la race humaine, ce que l'anthropologie récuse totalement. On a cru longtemps l'homme surgi d'un passé récent, et Bossuet avait fait ses calculs ; la création de l'homme, selon lui, avait eu lieu exactement en 5119 avant Jésus-Christ. On sait aujourd'hui que l'être humain actuel est l'aboutissement — provisoire — d'une évolution qui s'est étendue sur plusieurs millions d'années. *Secundo :* ce crime, aux conséquences incalculables, du premier couple humain, et que Jésus-Christ serait venu «racheter », nulle part, je dis bien nulle part, il n'en est question dans les Évangiles [1]. Mais poursuivons : l'humanité, en la personne d'Adam, avait « offensé » Dieu, lequel, implacable, attend et exige une réparation. Plusieurs millénaires s'écoulent ; la race humaine demeure en situation de réprouvée. Soudain le maître inflexible se ravise. Pour *« apaiser son courroux »,* il lui faut du sang et cette expiation qu'assurera un supplice, il en confie le rôle à son propre fils ; à cet effet, *« l'éternel célibataire des mondes »* (comme dit le *Génie du christianisme*) prend femme par l'entremise de cet Esprit-Saint qui est un des trois lui-même ; l'Esprit-Saint reçoit mission d' *« engendrer »* dans les *« entrailles »* d'une vierge — qui restera telle — un enfant miraculeux ; car seule une victime parfaite, c'est-à-dire divine, pouvait racheter *« l'infini de la dette ».* Ce fils, comme il était prévu dans le plan de Yahvé, va être tué par les hommes, si bien

1. A moins que l'on ne tienne à commettre un contresens sur les mots attribués par Jean au Baptiste : « Voici l'agneau de Dieu *qui ôte le péché du monde* » (Jn 1,29).

qu'à leur première faute, d'indiscipline, ils en ajoutent une autre, d'une autre ampleur : un meurtre. Qu'importe, ils sont *« sauvés »* grâce à la substitution héroïque d'un innocent prenant sur lui la culpabilité générale. Le prix du *« rachat »* devait, inexorablement, être versé à ce dieu comptable et impardonnant. Il l'a été. Tout est rentré dans l'ordre avec ce sang répandu. L'affaire est close et les cieux sont rouverts à la postérité d'Adam. La victime a même pris soin de *« descendre aux enfers*[1] *»* — avant sa résurrection pour qu'un effet rétroactif de son sacrifice s'appliquât à tous les *« justes »* qui avaient précédé sa venue, pleins de droiture certes et de fidélité aux commandements au Ciel. (prophètes compris, et Moïse et Abraham) mais incapables toutefois d'accéder à ce Paradis qu'ouvrait enfin la Rédemption.

Muets sur le « péché originel », les textes évangéliques sont ambigus sur l'opération salvatrice de Jésus. Marc et Matthieu (Mc 10,45 ; Mt 20,28) parlent en effet de *« rançon ».* Une *« rançon »* n'est pas une *« dette » ;* une rançon est le prix qu'il faut verser à qui détient un captif pour récupérer ce prisonnier. Par conséquent, dans ces textes-là, ce n'est pas l'évocation d'un Dieu rigide, exigeant telle somme pour la grâce d'un coupable, mais l'idée, toute différente, d'un versement à faire au Démon, à Satan, pour qu'il relâche cette humanité dont

1. Épisode dont le seul Pierre fait mention dans sa première Épître (3,19) sur l'emploi des *« trois jours »* qui s'écoulèrent entre la mort du Christ et sa résurrection. Mais que faire, alors, des mots prononcés par Jésus en croix à l'adresse du « bon larron » : *« Dès aujourd'hui tu seras avec moi dans le Paradis »* (Lc 23,43) ? N'avait-il donc pas pris encore sa décision de passer trois jours aux Enfers avant de rejoindre son Père ?

il a su se saisir. Flottements scripturaires, et à l'intérieur même du texte de Matthieu, car, après avoir prêté à Jésus les mots que voici : le Fils de l'Homme est venu *« donner sa vie en rançon »* (20,28), il lui fait dire, plus loin (26,28) qu'il verse son sang *« en rémission des péchés*[1] *». « Rémission »,* c'est pardon ; aucun rapport avec *« rançon ».* C'est la référence explicite à un thème qui se retrouve dans toutes les mythologies primitives : pour se concilier la faveur des puissances occultes qui règnent sur le monde, le sacrifice humain est la bonne méthode[2]. Abraham, Abraham-le-Sumérien, était pénétré de cette conviction, lui qu'on a vu prêt à égorger son fils Isaac pour complaire au Seigneur des nuées. Pour Abraham, Yahvé avait permis que suffise le sang d'un bélier, et l'enfant avait été épargné. Le Dieu de saint Paul et de saint Augustin ne renouvelle pas cette faiblesse, bien qu'il s'agisse de son propre fils ; et le péché ne sera remis qu'une fois subie jusqu'au bout, par ce fils, la torture de la crucifixion. Dès que Jean le Baptiste vit apparaître Jésus, il l'aurait aussitôt désigné comme l' *« agneau »,* l'agneau pascal prenant la suite du bélier biblique et promis, comme lui, à l'immolation.

1. En Marc (14,24) *« Ceci est mon sang, le sang de l'alliance, qui est répandu pour la* [ou *« une »*] *multitude » ;* en Luc (22,20) *« cette coupe est la nouvelle alliance en mon sang qui va être versé pour vous ».* Aucun écho de ces paroles chez Jean. Il est infiniment probable que nous avons là, de la part de Marc, de Matthieu et de Luc, une interprétation du rôle attribué à Jésus, due, en grande partie, à l'influence paulinienne.

2. L'*Épître aux Hébreux,* se rattache, en toute clarté, à l'*Exode* (24,5-8) avec cette affirmation catégorique *« sans effusion de sang il n'y a point de rémission »* (He 9,22).

Adopter la croix —cette horreur— pour emblème, les chrétiens s'en abstinrent longtemps. (C'est Marc Oraison, je crois, qui disait : Supposez que Jésus ait péri sur la guillotine, notre emblème eût été l'appareil à décapiter.) Ils préféraient l'image du poisson suggérée par l'acronyme I.K.T.U.S. *(Iésus Kristos Théou Uios Sôter; Jésus Christ fils de Dieu Sauveur);* mais le signe de la croix était plus facile à tracer. Dans cet ordre de choses, la commodité l'emporte toujours, alors qu'au vrai, ce que les disciples préféraient se remémorer, ce n'était pas que leur maître fût mort, et mort atrocement sur sa poutre et sa planche, mais qu'il avait franchi le trépas sans s'y engloutir. Noire vision, celle du Golgotha ; radieuse, celle d'Emmaüs.

Le Christ n'est pas venu pour mourir, mais pour dire et pour attester. Idée qui n'a pas encore fait —refait— son chemin et que l'Institution semble peu prête à accueillir. Subsiste là, toujours, pour d'innombrables esprits légitimement rétifs, l'impossibilité de croire à une rédemption-rachat.

Le troisième obstacle —écran, mur, barrage— qui s'élève entre l'homme d'aujourd'hui et le message évangélique, c'est l'inclusion du *« merveilleux »* dans ce qui nous est rapporté sur le destin de Ieschoua. Le *« merveilleux »,* dit le Robert, c'est *« ce qui est inexplicable de façon naturelle ; le monde surnaturel ».* (Rappelons-nous l'usage de ce mot dans le *Génie du christianisme* et les propos de Chateaubriand sur *« le merveilleux païen »* et le *« merveilleux chrétien ».*) Saint Augustin aurait déclaré : *« S'il n'y avait pas les miracles, je ne croirais pas. »* Mais beaucoup de nos contemporains estiment au contraire que les *« miracles »* sont justement ce qui écarte de la foi : ces récits répandent une ombre sur le contenu du christianisme et font de lui une *« légende dorée »*, charmante, sans doute, mais frappée d'inconsistance par son caractère même de féerie. On se souvient de Paul et de sa mésaventure athénienne ; la foule l'écoutait à l'Aréopage et prêtait attention à ses paroles ; mais, quand il en vint à la Résurrection, l'attention fit place aux sourires ; son auditoire se dispersa et, prenant congé, les plus polis lui dirent : *« là-dessus, nous t'entendrons une autre fois »* (Ac 17,32). J'ai connu des esprits droits, des cœurs purs, devenant rebelles et navrés en même temps, dès qu'on évoquait devant eux la réapparition du crucifié, et disant : Quel dommage qu'à ce que vous dites se mêle tout à coup de l'inacceptable. Pourquoi joindre à des choses sérieuses, et qui valent qu'on y réfléchisse, ce qui les gâche infailliblement, les détériore et les annule ?

Comment répondre ? Sur la *« Résurrection »* — et je ne sais, à ce sujet, quel mot employer, car le terme usuel me paraît inadéquat — je répète seulement qu'il n'est pas possible d'expliquer la métamorphose des disciples hier écrasés, éperdus, et soudain fous de joie et d'élan, qu'il est impossible d'expliquer ce fait irrécusable sans recourir à l'intervention de cet autre fait, irrécusable, qu'une certitude les emplissait et les jetait en avant ; la certitude d'avoir retrouvé, vivant, celui qu'ils avaient vu mourir. Et j'avoue que j'aurais beaucoup de mal à me représenter Pierre sous les traits d'un grossier affabulateur ou d'un mythomane lorsqu'à

Césarée, chez Cornélius, *« centurion de la cohorte italique »*, parlant de Jésus après la tragédie du Golgotha et la mise au tombeau, il raconte calmement : *« Nous avons mangé et bu avec lui »* (Ac 10,41). Je sais bien que c'est incroyable, mais je me souviens aussi d'Étienne Gilson — lequel n'était pas un naïf et se fit haïr, autour de 1950, pour sa perspicacité politique —, Gilson qui avança un jour cette remarque aiguë et joviale : *« Ce qui étonne les professeurs perd pour eux le droit d'exister. »*

J'aime la raison, mais non pas le rationalisme. La nation est une réalité, mais le nationalisme me hérisse. La matière est vénérable, mais un certain matérialisme est pure cécité. Je ne suis pas de ceux qui agaçaient Victor Hugo et qu'il rembarrait dans ses *Travailleurs de la mer* (I.1,7) : *« De ce qu'un fait vous semble étrange, vous concluez qu'il n'est pas. On a vite fait de dire : c'est puéril. Ce qui est puéril, c'est de se figurer qu'en se bandant les yeux devant l'inconnu, on supprime l'inconnu. »* Des témoignages nous sont parvenus, d'enquêteurs sérieux, sur des phénomènes contrôlés et pour le moment inexplicables, rattachés les uns à la *« sorcellerie »* (Afrique, Océanie), les autres à la *« mystique »* (Tibet)[1]. Les proscrire d'un haussement d'épaules est un procédé enfantin et je crois que nous ignorons

1. D'autres faits, attestés par de sûrs témoins, se sont produits, se produisent, qui défient ce qu'on appelle le « sens commun » : ces morts (par accident) qui reparaissent, parlent, conversent, puis disparaissent, d'un coup, pour la stupeur de ceux qui, sans rien savoir de leur trépas, causaient paisiblement avec eux. Je n'ai aucune raison de douter du récit que m'a fait un ami (incroyant) : son père, décédé depuis des années, monta soudain, à un feu

beaucoup de choses sur les pouvoirs de notre esprit. André Breton écrivait en 1937 : *« La plus grande faiblesse de la pensée contemporaine me paraît résider dans la surestimation extravagante du connu par rapport à ce qui reste à connaître. »*

Les « miracles » attribués à Jésus, s'ils ne servent aucunement à me convaincre de sa filiation divine, ne me poussent pas davantage à tenir pour fictive sa parole. J'ai l'attitude, à cet égard, de Jean-Jacques et de Tolstoï. Je les parque, ces « miracles » dans leur enclos, comme autant de questions à résoudre, mais secondaires. N'oublions pas que, selon les évangiles eux-mêmes, Ieschoua s'impatientait devant ceux qui réclamaient sans cesse de lui des « signes ». Qu'avez-vous besoin de prodiges ? leur disait-il ; il y a ce que je suis et ce que je dis.

---

rouge, en plein Paris dans le taxi que ce fils occupait, et, après quelques mots tout simples adressés à son compagnon, brusquement, il n'était plus là.

Hugo plus que personne sentait, savait, connaissait l'environnement du mystère.

III

« ET MOI JE VOUS DIS... »

Nous y voilà, à ce qu'il a dit, le Nazaréen. Et il faut tenter d'entendre sa parole telle qu'elle fut, de l'accueillir à l'état naissant, d'ouvrir notre profondeur à la sienne. Nous est alors communiquée une évidence libératrice, balayant d'un coup ces restes d'idées fausses dont nous étions encore, plus ou moins, la proie. Précisons tout de suite ce que le Nazaréen n'est pas, n'a pas été, n'a jamais voulu être.

Il n'est pas, n'a pas été, n'a jamais voulu être un professeur de morale. Comme l'éloquence vraie *« se moque de l'éloquence »,* ainsi « la morale », pour lui, n'a rien d'une liste de préceptes et d'interdictions ; c'est une disposition, une disponibilité, une générosité. Quand Jean Valjean, dans *les Misérables,* vole pour donner, il le fait sous un commandement de sa conscience, et le mensonge de sœur Simplice est-il autre chose qu'un héroïsme de la charité ?

L'ascétisme n'appartient pas à sa manière et, encore moins, le dolorisme. En lui, nulle complaisance morbide à la souffrance. S'il subit la souffrance, s'y étant délibérément exposé, il est loin de s'en repaître ; il l'affronte, les yeux ouverts, et avec le plus grand courage, mais sans y chercher, à coup sûr, la moindre délectation.

Il ne décrit point *« le Père »* comme un juge qui comptabilise des *« mérites »*, tenant registre de nos actes et calculant ce qui revient à chacun selon qu'il a su réunir, ou non, la somme nécessaire à son *« salut »*. Limpide, à cet égard, la parabole du vigneron et des vendangeurs : même salaire (pour l'indignation des jaloux) à ceux qui n'ont travaillé qu'une heure en fin de journée et aux embauchés du matin. Ces ouvriers ultimes, est-ce leur faute s'ils n'ont pas été requis dès l'aurore ? Ils auraient fait leur tâche comme les autres si le maître les avait engagés. Les *« mérites »* ne comptent pas ; ce qui compte, c'est la bonne volonté.

Il ne réclame pas de ses disciples la récitation sans faille, article par article, d'un catéchisme impératif. Il va même jusqu'à dire à la Samaritaine (cette hérétique, aux yeux des docteurs de la foi) que *« l'heure vient »* — et *« nous y sommes »*, ajoute-t-il — où il n'y aura pas de lieu prioritaire pour *« adorer Dieu »*. Les gens de Samarie se figurent qu'ils doivent, pour être en règle avec leur foi, gravir le mont Garizim, tandis que les juifs orthodoxes, c'est à Jérusalem, sur la sainte colline, que Dieu attend leurs hommages. Mais Dieu ne nous convoque ni là, ni ailleurs. C'est notre cœur qu'il nous demande. C'est en nous-mêmes, entre lui et nous, que tout se passe, car il attend de nous que nous l'aimions *« en esprit et en vérité »* (Jn 4,20.24). *« Extraordinaire épisode »,* écrit Ch. Perrot[1], et dont on doit constater qu'il fait rarement l'objet d'homélies.

Avant d'en venir au nœud central, au foyer central de *« l'affaire Jésus »,* je ne crois pas inutile de rappeler ce que le simple mouvement de l'esprit humain et les progrès accomplis dans la connaissance du concret nous permettent de savoir — ou d'entrevoir — sur *« cela que l'on appelle Dieu ».*

Le vieux thème positiviste, repris avec chaleur et talent (et même une espèce de passion) par Jacques Monod dans son livre qui connut, naguère, une grande audience : *le Hasard et la Nécessité,* se présente comme suit, à la manière de Feuerbach, puis de Marx, puis de Freud : la religion est née, parmi les hommes, de la peur et de l'ignorance. Peur de forces occultes, attribuées à des puissances invisibles mais dangereuses et qu'il convient de conjurer ou de séduire. Ignorance des lois qui régissent la matière. La connaissance scientifique, à mesure qu'elle progresse, refoule peu à peu cette peur et cette ignorance. Le mot « Dieu » servait à désigner l'inconnu ; un « bouche-trou » ; et « Dieu » ne cesse de reculer devant l'avancement de la Science. Le rationalisme ne peut que l'emporter dans le combat qu'il mène pour la conquête de la vérité. Déjà a été reconnue l'insignifiance de l'homme dans un univers démesuré où il n'est même pas ce *« ciron »* raillé par

1. Ch. Perrot, *op. cit.,* p. 119.

Voltaire[1], mais quelque chose comme un imperceptible *« accident »* au sein du Cosmos. La Science est promise, de soi, à établir de manière parfaite l'inexistence du fantôme divin[2]. Mais si l'homme, corporellement, n'est en effet qu'une poussière infime et négligeable dans l'océan des galaxies, l'esprit dont cet être est doué échappe au vocabulaire spatial. L'esprit n'est pas justiciable du système métrique et les termes de dimension ne sauraient s'appliquer à lui. Il semble, en outre, malaisé de tenir pour insignifiante une créature qui non seulement pense l'évolution, mais se montre capable d'agir sur elle au point que l'homme s'est donné le moyen d'abolir la vie sur la planète qu'il occupe. Étrange insignifiance. La biologie, d'autre part, révèle une *« programmation »* des cellules qui savent ce qu'elles ont à faire et obéissent à un projet. Habitués au miracle permanent de cet ovule fécondé qui a abouti aux milliards de neurones dont l'agencement est nécessaire à l'œil comme au cerveau, nous n'avons plus conscience de ce qu'une telle réalisation comporte de prodigieux. Monod rejette le terme de *« finalité »* à cause de sa coloration suspecte et dévote, mais il en donne, en grec, l'équivalent avec sa *« téléonomie »* (de *« télos »* qui veut dire but, fin, et *« nomos »* qui signifie

1. De Voltaire aussi ces octosyllabes allègres sur nous autres hommes : *« Invisibles marionnettes / Qui passons si rapidement / De Polichinelle au néant. »*

2. Dans son *Avenir de la science,* Renan disait des savants qui, en même temps, s'affirmaient croyants : *« Ils ne cherchent pas ; ils tâchent de prouver. »* Peut-être. Mais le grief s'applique tout aussi bien aux savants d'en face, incroyants, soucieux eux aussi de « prouver », d'étayer scientifiquement leur philosophie préconçue.

loi) : organisation des cellules selon cette *loi* de la *fin;* autrement dit une finalité. Et le physicien Alfred Kastler (prix Nobel, lui aussi, comme Jacques Monod) déclare qu'il ne saurait guère concevoir *« un programme sans programmateur ».* Pourquoi refuser le mot « Dieu » pour nommer l'intelligence organisatrice dont la biologie elle-même conduit à deviner l'existence ?

En dépit de ses méandres et de ses ratés, l'évolution se développe dans une certaine direction ; elle va dans le sens d'une complexité et d'un psychisme croissants. Claude Bernard, dont on ne saurait faire un adepte de la Superstition, n'en affirmait pas moins, dans son *Introduction à l'étude de la médecine expérimentale : « L'évolution répond à une idée directrice. »* Là donc, également, comme en biologie, intervient quelque chose comme une intelligence à l'œuvre. Là aussi, un projet, une finalité. Et, dans un élan de précipitation enthousiaste, Jaurès crut pouvoir définir l'évolution comme *« la démonstration expérimentale de Dieu ».* Sans aller jusque-là, il n'est pas imprudent de conclure à l'action, au sein de notre monde, d'une force douée d'intention.

Parménide tenait l'univers pour éternel, sans commencement imaginable, tant l'idée de création lui paraissait aberrante et, à proprement parler, in-concevable, n'offrant à notre esprit aucune prise, ce « rien » d'où aurait surgi l'univers étant une notion vide, radicalement im-pensable. La science contemporaine, cependant, exclut de moins en moins l'idée d'un *« big bang »* engendrant, il y a quinze ou vingt milliards d'années, le premier état de ce qui devint l'univers. Ainsi reparaît, dans la connaissance scientifique elle-même, l'hypothèse d'une création : et comme, effectivement, le Rien ne saurait rien produire, force est bien d'admettre, sous l'apparence de ce pseudo-Rien, une puissance créatrice, sans du reste que s'ébauche la moindre réponse à la double question du comment et du pourquoi.

La « matière », enfin, apparaît aujourd'hui singulièrement différente de ce qu'elle était aux yeux d'Épicure et de Lucrèce, avec leurs « atomes » inertes. Jaurès souriait de l'assertion énoncée, au début du siècle, par Marcelin Berthelot : *« Le monde est désormais sans mystère » ;* vous expliquez tout, lui disait-il, par *« la matière » ;* mais la matière est, en fait, la *« suprême inconnue » ;* si peu inerte qu'elle révèle de plus en plus sa capacité incommensurable d'énergie. Si la pensée a émergé de la matière, c'est qu'elle s'y trouvait incluse, latente, virtuelle, déjà obscurément présente. D'où la formule d'Engels, reprise par Lénine : *« La matière pense. » « Étrange matière »,* commente Kastler ; et Teilhard d'envisager un *« cœur de la matière »,* une *« âme de la matière »,* immanence en elle d'un Dieu transcendant.

L'idée, comme on voit, d'une force créatrice, organisatrice et directrice qu'il n'est pas défendu d'appeler « Dieu », les progrès de la science sont loin de la proscrire.

Mais la connaissance « scientifique » — c'est-à-dire chiffrable — n'est pas la seule dont nous disposons et, comme l'a noté fortement Garaudy, irrecevable est le postulat admis aussi bien par Jacques Monod que par

Auguste Comte et *« selon lequel ce qui n'est pas réductible en concepts* [et en chiffres] *est dénué de réalité ».* La « raison », dit encore Garaudy, *« n'est pas la forme la plus haute de la connaissance ».* Existe également cette autre « connaissance » que Pascal appelait la *« connaissance du cœur »* et que je préférerais désigner autrement, *« cœur »* ayant aujourd'hui une « connotation » effusive et fâcheuse. Bénéficiaire du prix Nobel en même temps que Jacques Monod, François Jacob, dans sa *Logique du vivant,* ne voyait aucune difficulté à reconnaître que *« la musique et la poésie disent des choses extrêmement profondes mais parfaitement intraduisibles dans le langage scientifique ».* Et, sur un autre plan qui n'est plus celui de l'esthétique, s'attestent des faits similaires. Le 8 juillet 1915, Freud écrivait à J.J. Putnam : *« Quand je me demande pourquoi je me suis toujours efforcé d'être honnête, prêt à ménager autrui et autant que possible bienveillant, je ne trouve rien à répondre. »* Le dernier chapitre de Jacques Monod, dans son célèbre ouvrage, me déconcerte et me ravit. On y entend un homme « engagé » et qui se bat pour la justice, évoquant même, en image, on ne sait quel *« royaume »* vers lequel il marche spontanément. Et de tels propos sont les plus inattendus qui se puissent concevoir au terme d'un livre où l'auteur tient pour impossible de fonder rationnellement toute idée d'un quelconque « devoir ». Jankélévitch, haut esprit mais chez qui n'apparaît nulle part une métaphysique ordonnée à quelques premiers principes, avoue que nous *« baignons »* dans *« la morale »* et que nous passons notre temps à émettre des jugements de valeur. Ernst Bloch, athée, si je ne me trompe, croit à un *« Principe de l'espérance »,* et affirme qu'existe *« en tout homme, une source intime et inconnue qui le voue à l'espérance ».* Mais c'est le cas de J.-P. Sartre qui est le plus saisissant. Lorsque Sartre entreprit ses *Chemins de la liberté,* il annonça, pour leur conclusion, une éthique qu'il ne nous donna pas. Francis Jeanson, le plus attentif sans doute et le plus pénétrant de ses commentateurs, observait déjà que si, dans l'œuvre du maître, l'*« Absolu »* est mis à la porte, il n'y rentre pas moins et sans cesse *« par la fenêtre ».* Après *les Mots,* qui semblaient si désenchantés, Sartre convint, dans une interview, qu'il y a *« des tâches innombrables ».* Qui dit *« tâche »* dit chose à faire, qu'il faut faire, à quoi nous ne devons pas nous dérober ; pour qui considère comme dépourvues de toute assise les notions de Bien et de Mal, rien ne devrait revêtir l'aspect exigeant d'une « tâche ». Interrogé publiquement, durant l'été 1979, sur les raisons qui le poussaient à participer au salut des évadés vietnamiens, Sartre répondait, sans hésiter : *« question de morale » ;* et voici que, quelques semaines avant sa mort, et en dépit de pressions alarmées et très vives, il tint à ce que fût publié, tel quel et sans coupures ni modifications (dans le n° 800 du *Nouvel Observateur,* le 10 mars 1980) ce qu'il venait de dire, en toute clarté, à Benni Lévy, qui l'interrogeait. On y put lire des choses fort éloignées du substrat philosophique sur lequel paraissait reposer, jadis, l'« existentialisme ». *« Chaque conscience »,* expliquait Sartre dans ce document capital, *« n'importe laquelle, a une dimension que je n'ai pas étudiée* [...], *la dimension de l'obligation* [...], *une sorte de réquisition qui va au-delà du réel* [...], *une sorte de contrainte intérieure. »*

Et Benni Lévy lui disait : « *Tu as, depuis longtemps, été sensible à cette idée qu'au fond l'individu est mandaté* [...]. » Tout se passe comme si, de Freud à Monod, de Jankélévitch à Bloch, et à Sartre — Sartre étant le premier d'entre eux à la formuler —, tous constataient en l'homme la réclamation d'une connaissance intuitive, la présence d'une convocation irrésistible [1].

Ce qui nous conduit directement à la grande révélation-divulgation qu'apportait le Nazaréen. Elle tient en sept mots que l'on trouve à la fois en Luc (17,21) et dans l'un des *« logia »* de l'*Évangile selon Thomas.*

1. Toute une rumeur hostile s'est développée autour de ces paroles dernières, et remarquablement explicites, de Sartre. Olivier Todd s'est même permis à ce sujet des contre-vérités hargneuses et violentes, parlant d'*« escroquerie »*, de *« montage »*, de *« ramassis d'âneries »*. Ce qui inspira à Alain Finkielkraut (dans *le Nouvel Observateur* du 13 avril 1981) cette âpre et juste observation : Sartre aura donc connu *« l'étrange destin de mourir inécouté »*. Cependant la même semaine et dans *le Monde* du 17 avril 1981, Michel Contat, autrement sérieux qu'Olivier Todd et respectueux du vrai, tenait à constater publiquement que *« l'âge puis la mort »* auront *« empêché »* Sartre de réaliser le projet qui était le sien : *« réviser ses idées »* et *« fonder une morale »*. Ceux (et celles) que consternent les affirmations de J.-P. Sartre ont recouru à l'explication par la sénescence. Mais Marc Beigbeder — qui, comme moi, n'y croit guère — a fait observer, dans sa *Bouteille à la mer* du 3 décembre 1981, que ce que lui aurait prétendument *« extorqué »* Benni Lévy *« se trouve déjà »*, pour l'essentiel, dans *les Mots*, à propos desquels il est difficile d'évoquer (ou d'invoquer) la sénilité.

Luc : *« Le royaume de Dieu est en vous » ;* Thomas : le royaume de Dieu est, en même temps, *« en vous et en dehors de vous ». « Entos humôn »,* dit le texte de Luc ; et il est strictement impossible de traduire cet *« entos »* autrement que par *« au-dedans ».* C'est attenter à la grammaire, et recourir à un faux sens délibéré, que de traduire *« entos »* en *« parmi » ;* c'est bien *« en vous »* que disent et le RP Lagrange, et Fillion et Lavergne dans leur traduction loyale des évangiles. Mais *la Bible de Jérusalem* traduit intrépidement *« parmi vous »,* alors que, d'une part, la phrase précédente implique la traduction juste *(« La venue du royaume de Dieu ne se laisse pas observer et on ne saurait dire : Le voici ! Le voilà ! » —* ce qui exclut l'interprétation *« parmi vous »)* et que, d'autre part, la parabole du semeur n'a de sens que si *« entos humôn »* est correctement traduit par *« au-dedans de vous ».* Ch. Perrot qui prétend cet *« entos » « difficile à traduire »,* ne cache pas la raison du refus qu'il oppose à la traduction normale et honnête de *« entos »* en *« au-dedans »* et déclare avec candeur (« cynisme » serait inconvenant) que traduire *« entos humôn »* par *« au-dedans de vous » « risque d'égarer le lecteur dans quelque religion de type intimiste ou mystique*[1] *».* Je demande ce que serait une foi étrangère à l'intimité de l'être, et la mystique est-elle donc une déviation ? Je sais bien que Fénelon a été condamné par Rome sur l'injonction de Louis XIV, mais je doute que ce soit à cause de ceci, qui figure dans son traité de *l'Existence de Dieu : « O mon Dieu, si tant d'hommes ne vous découvrent point* [...], *ce*

1. Ch. Perrot, *op. cit.,* p. 230.

n'est pas que vous soyez loin. Vous êtes auprès d'eux et au-dedans d'eux, mais ils sont fugitifs et errants hors d'eux-mêmes. »

De ce Dieu *« au-dedans de nous »,* de cette connaissance intuitive, la négation, la démystification est classique, bien antérieure même à Feuerbach et à Marx. C'est l'illusion de notre naïveté qui projette dans l'imaginaire, pour lui attribuer une réalité consolante, le besoin désespéré qui est le nôtre de croire à des rêves. Éperdument désirer qu'une chose soit vraie ne suffit pas à la rendre vraie. La foi, disait Marx, n'est que *« le soupir de la créature étouffée par un monde sans cœur ».* Construction vaine. Mirage[1]. Réponse : mais non, Lamartine ne se trompait point lorsque, dans son poème « Utopie » (1838), il parlait de *« cette aspiration »,* en nous, *« qui prouve une atmosphère ».* Qui *« prouve »* disait-il ; et le mot était juste. De même que l'existence dans notre corps d'un système respiratoire ne s'y trouve que *parce qu'il y a* un air à respirer, de même cette *« aspiration »* dont les témoignages sont partout, *prouve* qu'y correspond une réalité ; car on ne saurait désirer *que* ce dont on a déjà un commencement de possession. L'amour, dit Platon, est fils de *poros* et de *pénia ; poros,* l'abondance, la plénitude ; *pénia,* la pénurie, le manque. On ne désire une femme que parce qu'on la sait réelle (et s'il s'agit d'une femme rêvée, l'image que nous nous formons d'elle est faite d'éléments empruntés à des femmes que nous avons

1. *« Le cœur humain fait des contes à l'esprit, qui les croit. »* C'est ainsi que Joseph de Maistre, dans le septième *« entretien »* de ses *Soirées de Saint-Pétersbourg,* résume excellemment l'objection rationaliste.

vues). Il faut, pour désirer, une connaissance directe, mais insuffisante, mais imparfaite ; une pré-connaissance, un pré-sentiment, sans quoi l'élan ne saurait naître. L'élan répond à un appel. Appel d'air. Aimantation. Quelque chose en nous *sait* Dieu comme la boussole *sait* le pôle. Et là où Pascal dit *« connaissance du cœur »,* je préfère connaissance par contact.

Dans cette importante conversation dont nous avons déjà cité quelques mots, Sartre déclarait à Benni Lévy : *« Ce qu'est un homme n'est pas encore établi. Nous ne sommes pas des hommes complets* [...] ; *nous sommes des sous-hommes, c'est-à-dire des êtres qui ne sont pas parvenus à une fin, qu'ils n'atteindront peut-être jamais, d'ailleurs, mais vers laquelle ils vont* [...]. *Ces sous-hommes ont en eux des principes* [...] *qui sont en avance sur leur être même* [...]. *Ce qu'il y a de mieux en nous, c'est notre effort pour être au-delà de nous-même. »* Et Sartre parlait de cette *« réquisition »* dont nous sommes l'objet et qui *« va au-delà du réel ».* Ce sur-réel, le Nazaréen le nommait *« le royaume »* et nous enseignait que ce *« royaume »* non seulement nous habite mais nous constitue ; que nous sommes participants de l'Infini, abouchés à l'Infini ; que notre identité foncière n'est pas autre chose que la présence en nous, incomplète et suscitatoire, du *« royaume ».* Et c'est ce qu'ont articulé, chacun en son langage, et Pascal lorsqu'il écrivait que *« l'homme passe l'homme infiniment »,* et Jean-Jacques lorsqu'il déclarait : *« Notre vrai moi n'est pas tout entier en nous*[1] *»,* et Jaurès lorsqu'il affirmait :

1. Parti à la poursuite de *« l'homme de la nature »* (le bon sauvage) Jean-Jacques eut ce coup de génie de renverser les

« l'humanité n'a de valeur que comme expression de l'infini », et encore plus nettement Tolstoï ; la connaissance intuitive de Dieu, l'adhésion à l'Absolu, cette réalité *« est en nous-même » ; « plus qu'en nous-même, elle est nous-même ».* Sulivan risquait cette formule : *« Dieu est le fond de tout être humain »* et, dans son essai sur *Jésus,* Barbusse s'aventurait jusqu'à cette assertion (qu'autour de lui on n'aima point) : *« Nous sommes de la race de Dieu. »* De la même veine, ces mots de Jacques de Bourbon-Busset : *« L'amour prouve Dieu »,* et ceci, de Jean Prévost, à propos du Nazaréen : *« Ne pas croire en lui c'est douter de notre cœur où est son royaume. »* Roger Caillois, pour sa part, évoquait *« ce tropisme qui, dans la parcelle, est aimanté vers la totalité »,* et Joseph de Maistre : *« Toutes les vérités sont dans nous ; elles sont nous, et lorsque l'homme croit les découvrir, il ne fait que regarder en lui-même et dire Oui. »*

Tous les mérites de l'écrivain, chez Paul Valéry, dissimulaient mal les limites d'une intelligence amputée ; une amputation dont il se faisait une gloire, avec un rien de suffisance ; en vertu de quoi la définition qu'il proposait des prêtres lui paraissait pleine d'une heureuse finesse : les prêtres ? disait-il, des « préposés aux choses vagues ». Il suffisait à Guéhenno que Jean-

termes : non plus *l'homme de la nature* mais *la nature de l'homme* dont il perçut la substance. D'où la haine inexpiable que lui vouèrent les encyclopédistes.

Jacques eût préféré le christianisme aux *« Lumières »* de l'*Encyclopédie* pour qu'il dénonçât chez lui un triste penchant à *« la religiosité »* cette gélatine écœurante. Rien de moins « vague » cependant, et de moins douceâtre que la parole et l'action du Nazaréen. Pure *« idée abstraite »,* selon Simone de Beauvoir, inconsistante irréalité, cette idée de Dieu dont elle se félicite d'avoir su, *« un soir »,* délivrer définitivement son esprit. Rien de moins « abstrait » cependant que le *« royaume »* dont il est question dans les évangiles. La vie serait assommante, disait très bien Benda, si l'on n'y rencontrait que *« des conciliateurs bénins et des impartiaux châtrés ».* Le Nazaréen n'est certes pas de cette engeance ; ni doucereux, ni brumeux ; c'est une option virile qu'il réclame : *« Vous ne pouvez servir deux maîtres », « là où sera votre trésor, là aussi sera votre cœur ». « Presque tous les exégètes »,* reconnaît Ch. Perrot (et les exégètes chrétiens comme les autres), *« pensent que Jésus n'a jamais appliqué à lui-même le titre de Fils de Dieu*[1] *».* Il se disait toujours *« Fils de l'Homme », « étonnante expression »* écrit Perrot[2] et qui revient quelque quatre-vingts fois dans les textes évangéliques, mais que Paul, pour sa part, s'abstiendra de retenir. De tout évidence Ieschoua s'y réfère à Daniel (7,13) : *« Et voici qu'avec les nuées du ciel venait comme un fils d'homme, et il lui fut donné souveraineté, gloire et royauté » ;* mais *« de quel sens investissait-il ces mots mystérieux*[3] *? S'agit-il de l'homme dans sa*

1. Ch. Perrot, *op. cit.,* p. 278.
2. *Ibid.,* p. 69.
3. *Ibid.,* p. 241.

grandeur adamique ? Un ange ? Quelqu'être transcendant ? Le Messie-Roi ? Ou simplement quelque symbole du peuple d'Israël[1] *» ?* L'obscurité est, sur ce point *« inextricable*[2] *».* Ce qui, du moins, est hors de doute, c'est que l'on chercherait en vain dans l'Ancien Testament l'annonce d'une Incarnation de Yahvé. L'Ancien Testament annonce seulement la venue d'un délégué, désigné et « oint » par le Dieu d'Israël pour une mission de délivrance et d'hégémonie. Après l'éblouissement pascal aucun titre d'honneur appliqué à Jésus ne parut excessif aux disciples, encore que leur maître eût marqué avec force les distances entre lui-même et Celui qui l'avait envoyé. Il avertissait rudement l'empressé : *« Pourquoi m'appelles-tu bon ? Nul n'est bon que Dieu seul »* (Mc 10,18), et il précisait : l'heure où arrivera la fin des temps, personne ne la connaît, *« ni les anges, ni le fils ; personne que le Père »* (Mc 13,32). Et si Jean rapporte le cri de Thomas : *« Mon seigneur et mon Dieu ! »,* (Jn 20,28), s'il fait dire à Jésus : *« Avant qu'Abraham fût, je suis »* (8,58) et *« qui m'a vu a vu le Père »* (14,9), c'est dans le même Jean qu'on peut lire ces mots sans ambiguïté : *« Le Père est plus grand que moi »* (14,28). L'abbé Auguste Rosi, le « Tonzi » *« Car je t'aime, ô éternité »,* ce prêtre qui ne fut jamais ni frappé ni en rupture, me confiait un jour qu'à quiconque lui demandait, sur le ton de la sommation : *« Êtes-vous prêt, oui ou non, à l'énonciation décisive : Jésus* est *Dieu ? »,* il répondait toujours par cette

1. Ch. Perrot, *op. cit.*, p. 258.
2. *Ibid.*, p. 169.

interrogation préalable : *« Dites-moi d'abord qui est Dieu, pour vous, ce qu'est Dieu pour vous. »*

Le Nazaréen disait à ses disciples deux choses en apparence contradictoires ; d'une part : Ne m'oubliez pas ; gardez bien le souvenir que je vous laisse ; ce que j'ai fait devant vous, avec le pain et le vin, refaites-le *« en mémoire de moi »*. Jésus voulait chez ses amis des souvenirs ardents, intacts, préservés de rhétorique et de littérature, authentiques comme le sont les sentiments vrais *« avant que les mots ne s'y mettent »*. Mais en même temps ceci, qu'il répétait : *« Il faut que je m'en aille. »* Il le *« faut »*, afin qu'on le puisse retrouver, lui parti, sur des visages humains. Et il expliquait : cet affamé qui sollicitera de vous quelque nourriture, ce mourant de soif qui vous suppliera de lui donner un peu d'eau, ils seront mes substituts ; *« c'est moi »* que vous aurez alors devant vous.

Aliénation, le christianisme ? Que de discours n'avons-nous pas entendus sur ce thème, de Feuerbach à Merleau-Ponty ! En admettant un Dieu, l'homme aliène sa liberté ; il se place en tutelle, il renonce à sa dignité d'homme. Mais si le christianisme est, comme il l'est effectivement, une saisie de notre substance, il est le contraire même d'une aliénation : conquête de notre identité ; l'être humain occupé dans tout son empan ; *« l'essentiel de l'enseignement du Christ,* dit Tolstoï, *c'est d'apprendre à l'homme à se connaître »*. L'aliénation dramatique et mortelle, je la vois bien plutôt dans l'effort de ceux qui, non contents de vider le langage de toute référence à un signifié — *« grappes de mots »* imposés par l'usage, vocabulaire emprunté ; ne pas dire : *« je parle »*, mais *« on parle »*, ou mieux : *« on est parlé »* —, s'en prennent à l'individu que nous croyons être et qui ne serait, au vrai, qu'un risible carrefour de réflexes et de reflets. Après la mise à mort du sens dans le langage, celle de l'homme en tant que personne ; *« chevaliers du néant »*, disait Sulivan, ces docteurs de l'aliénation absolue et du désespoir. Non, l'élan vers le Bien n'est pas le produit d'une « culture », comme s'acharne à le répéter Margaret Mead ; car encore faudrait-il savoir d'où elle sort, cette « culture », où elle a pris ses racines, et si ce n'est point dans la nature même de l'homme, le fond anthropologique. Freud a eu grandement raison de porter attention aux souterrains de l'inconscient ; mais il n'a su y discerner qu'un grouillement de reptiles ; est là aussi, cependant, cet *« abîme de lumière »* deviné par Kafka. Le mouvement de la créature vers le don de soi, ses préjugés condamnaient Freud à le tenir pour adventice, surajouté, greffé, séquelle d'un dressage. Et si le « refoulement » sexuel peut avoir ses dangers, il n'est pire refoulement que celui qui prétend annuler ce qui nous est constitutif.

Trop de commentateurs aujourd'hui, mal enclins (comme je le suis moi-même) à accorder beaucoup de prix aux édifices conceptuels de la théologie, réduisent le christianisme à un commandement d'amour, sans réfléchir assez peut-être à cette grande vérité qu'on ne « commande » pas l'amour, lequel ne dépend point de notre volonté. Infiniment plus solide et plus déterminante, l'idée force qui me paraît centrale dans l'enseignement du Nazaréen : la connaissance de ce qui nous anime et positivement nous constitue dans notre réalité d'homme. De Hugo — dont je ne dirai jamais à quel point il ressemble peu au *« sous-primaire »* et au minus qu'ont décrit ses furieux et toujours virulents adversaires politiques —, de Hugo ce conseil, riche d'implications : Homme, *« si tu veux savoir le vrai, cherche le juste ».* Devançant Blondel, Hugo perçoit que l'action bonne, accomplie d'instinct, est apprentissage de la connaissance, éclairement intérieur. Mais l'amour ? J'avoue qu'une « spiritualité » qui ressasse ce terme me fatigue ; comme s'il n'était pas déjà, dans la vie quotidienne, opaque et générateur de méprises. Le christianisme serait, avant tout, amour de l'humanité ? Mais Hugo (encore lui !) observait dans son *Quatre-vingt-treize :* l'humanité ? *« cette plénitude énorme, au fond, c'est le vide ».* Aimer l'humanité en apposant sa signature sur des pétitions en faveur des victimes de la tyrannie, et quand même on y ajoute un chèque pour l'apaisement de notre conscience, est-ce là vraiment un amour ? Il n'est d'authentique amour que d'un être proche et que l'on préfère à soi-même. *« Dieu est amour »,* répétait Jean, en toute vérité. Il voulait dire que savoir aimer, aimer pour de bon, est le seul chemin du contact avec Dieu. Pas de *credo* plus exposé aux catastrophes du désarroi et de l'épouvante que celui du Père *« qui a tant aimé les hommes que* [etc.] ». L'atrocité du réel, l'horreur de tant de destins paraissent constituer un tel démenti à ce qui prend, pour les infortunés, l'allure d'un conte bleu, qu'ils deviennent la proie des ténèbres.

Et puisqu'il est question de l'amour, quelques mots sur cette énigme. Comme il avait raison, le Claudel de cinquante ans qui gémissait : *« Qui oserait dire que l'amour est clair ? »*

Un constat, d'abord, dont le même Claudel, hélas, nous fournit la triste occasion. Ne soutint-il pas, en toutes lettres, que *« le siège du péché originel, c'est le sexe » ?* Où avait-il pris cela ? Sûrement pas, en tout cas, dans la Bible. Mieux même : à propos de Freud (devenu, sous sa plume, ce *« vieux dégoûtant des bords du Danube »*), il comparait le sexe à un *« cancer »* accroché à notre organisme. Trouvaille que de baptiser « cancer » ce dont l'évidente destination première est d'assurer la perpétuation de l'espèce. Divagations d'un grand esprit. Reste que l'amour, l'amour humain avec ses yeux troubles et tendres, est un labyrinthe.

L'amour d'un homme pour une femme — et d'une femme pour un homme — se passe difficilement de la sexualité. Mais la sexualité, elle, se passe très facilement de l'amour. Autre remarque, sans cesse vérifiée : le désir est expert à se faire prendre pour le cœur ; il n'a pas son pareil pour cette mascarade. Tant de *« je t'aime »* qui sont seulement la transposition inconsciente et lyrique d'une convoitise ! Sous les romances, le grondement du rut.

Déjà rendu lucide par l'expérience, le très jeune Zola parlait, dans sa *Confession de Claude* de *« tout ce départ enchanté pour le pays des nobles tendresses sous le coup de fouet de l'instinct génétique »*.

La moindre analyse de l'amour-désir et des joies qu'il dispense révèle la place immense qu'y occupent l'égoïsme et la poursuite de ces félicités non seulement charnelles mais où la vanité a sa part, qui est grande : fierté d'avoir été choisi, préféré ; ivresse de savourer le pouvoir qu'on exerce sur une créature devenue dépendante et assujettie. Vous dites que vous aimez cette femme parce qu'elle est belle. Mais la beauté n'est qu'une forme dont l'être chéri est, pour le moment, revêtu ; que cette forme se flétrisse, disparaisse, et l'amour s'en va. Ce corps que vous caressez, pénétrez, est-ce bien celui de *telle* femme, ou le corps féminin, anonyme ? Anonyme et multiple ; d'où l'attrait que d'autres corps suscitent avec leur promesse de voluptés inédites. *« Je l'ai tué* [*ou tuée*] *parce que je l'aimais. »* Banalité du crime « passionnel ». Argument, auprès du jury, qui ne manque pas d'efficacité. On tue parce que l'autre ne consent pas, ou ne consent plus, à s'offrir. Est-ce donc ça, aimer ? *« L'amour n'a pas de cœur »,* écrivit un jour, assez terriblement, Béatrice Beck.

Préparant jadis un livre sur Claudel, qui voulait bien s'intéresser à mon travail, j'avais souhaité qu'il développât devant moi un paragraphe de son recueil *l'Oiseau noir dans le soleil levant.* Il le fit, et j'entends encore cette voix lente et lourde qui mâchait les syllabes. *« Quand on aime une femme... »,* disait avec simplicité cet octogénaire pathétique. Il insistait sur l'existence, dans l'éclosion d'un amour, de *« deux étincelles »* distinctes mais si rapprochées dans le temps qu'elles se superposent et se laissent confondre. Mais elles sont bien deux, et très différentes l'une de l'autre. C'est *« un regard »* qu'on aime d'abord. Et le regard *« n'est pas de la chair » ;* la chair n'en est que le support. On ne touche pas un regard. Une paupière, oui, laquelle occulte le regard. Et voici ce que Claudel appelait

« l'amalgame ». Tout amour comporte un désir d'unité, de fusion. Pour réaliser cette unité, le sexe se propose. Mais c'est un leurre et l'union qu'il feint de promettre, au lieu de *« l'assumer »,* la plupart du temps il *« l'assomme ».* Les années passent, et l'on ne se souvient même plus de l'émotion première ou bien, si quelque ressouvenir, soudain, joue au fantôme dans notre mémoire, il nous amuse et nous apitoie : puérilités de boy-scout ; enfantillages ; ce qui dirigeait tout, conduisait tout, commandait tout, c'était — et c'était uniquement — la réclamation du plaisir, l'avidité de *« possession »* (et quelle duperie, cette possession *« qui ne possède rien »* et se résout en secousse sexuelle !).

Et pourtant elle a existé l' *« étincelle »* antérieure au désir. Plus tard, relisant le roman de Tolstoï *Résurrection,* je me suis rappelé, à l'improviste ma conversation avec Claudel, chez lui, boulevard Lannes, en 1952. Ces deux êtres qui commencent à s'aimer — et dont le destin sera pitoyable —, une invasion, en eux, de bonheur ; une submersion de générosité. Ils veulent que le monde entier participe à leur joie; ils sont emportés par un élan fou de tendresse, un *« amour pour tous les êtres, pour toute chose au monde, et non seulement pour ce qui était beau, mais pour tout ce qui existait, comme pour ce mendiant* [hideux avec sa *« plaie rouge à la place du nez »*] *qu'elle* [Katioucha] *venait d'embrasser ».*

Vient toujours, dans l'amour-désir, une heure où le désir retombe. C'est la minute de vérité où s'abolissent les masques. Et si l'amour *est* l'amour et non plus un travestissement, il subsiste et gagne la partie. A la place de l'égoïsme, la préférence de l'autre. Cet amour-là est pressentiment. La sexualité serait-elle maudite, marquée fatalement d'un signe noir ? Comment le croire ? Comment même l'imaginer ? Et sans doute connaît-elle des perversions sinistres où s'introduit le goût de la souffrance infligée à autrui. Le sadisme n'a pas attendu pour se manifester les codifications du « divin marquis », cet esclavagiste, et il y a de sombres connivences entre l'érotisme et l'infamie. Confondre plaisir et bonheur, attendre du plaisir une plénitude conduit au désenchantement meurtrier. Ce qu'on a nommé « libération sexuelle » multiplie le nombre des adolescents suicidaires. Mais l'abstention, parfois, ne vaut pas mieux. Il y a des chastetés suspectes, à base d'avarice, d'envie et de haine. Il y a des *« puretés boueuses »* et des pécheurs au cœur pur. Fascinante, cette obstination de Hugo, impénitent fornicateur, à inventer, de livre en livre, des *Misérables* aux *Travailleurs de la mer,* de *L'Homme qui rit* à *Quatre-vingt-treize,* des héros vierges. Jean Valjean comme Giliatt, Guynplaine comme Cimourdain sont des êtres vierges, et cependant — et à quel point ! — virils. Mais ils n'ont pas voulu donner prise sur eux à la sexualité afin de nouer toutes leurs puissances en une seule gerbe au service de leurs frères humains. Si le Nazaréen a choisi cette voie, il n'impose point à ses disciples l'option qu'il a personnellement adoptée. A chacun, dans l'exercice de sa liberté, le choix qu'il préférera. Tentation, le plaisir, même le plus légitime ; mais pour certains, qui passent outre, *« à la place d'une tentation, une tentation plus grande ».*

L'amour, dans les évangiles, prend avant tout la figure du pardon. Trois textes, à ce sujet. L'apologue, d'abord, du fils « prodigue ». Le père n'avait pas d'illusions. Il prévoyait trop que les choses tourneraient mal pour ce garçon-là, et il se rongeait, souffrait. Et voici que le fugitif reparaît, pantelant. C'est sa détresse qui le pousse ; un peu son cœur, peut-être ; surtout sa détresse. Il a faim et il n'en peut plus. C'est pour cela qu'il rentre. Et après ? Le vieil homme se précipite. Il ne fait pas l'avantageux. Sur ses lèvres, rien ne ressemble à un : « Je te l'avais bien dit ! » Il court et il pleure de joie. Il l'embrasse, l'embrasse, son enfant retrouvé ; il le remercie d'être là, de nouveau. Parabole. A présent un autre texte : le Nazaréen en action. L'épisode de la femme adultère. Ce n'est pas la seule fois, dans les récits évangéliques, où Jésus a devant lui une femme coupable. A la première, lui-même avait adressé la parole. C'était à Sychar, en Samarie, près du puits de Jacob. *« Fatigué par la route »*, il lui avait demandé un gobelet d'eau. Il savait que cette femme avait eu cinq *« maris »* et *« l'homme que tu as maintenant,* lui dit-il, abrupt et doux, *n'est pas ton mari »* (Jn 4,18). Ni répulsion, chez lui, ni mépris. Il l'a traitée si peu durement que c'est à cette pécheresse qu'il confie l'idée révolutionnaire que l'on sait sur l'adoration *« en esprit et en vérité »* (Jn 4,23). Cette fois, la femme que l'on fait comparaître devant lui — car on le soupçonne de laxisme et on cherche l'occasion de l'incriminer — a été saisie en flagrant délit d'adultère. A-t-on bien pris garde à l'attitude de Jésus ? Tandis qu'on l'interroge, et que la femme, à demi nue sans doute, est là tremblante, Jésus refuse de lever les yeux sur elle. Il s'est « baissé » et s'est mis à tracer on ne sait quoi, d'un doigt, dans la poussière. Il ne regarde la pécheresse que lorsque tous sont partis, tous ceux qui n'ont pas eu le front, l'hypocrisie, de lancer sur leur captive ces pierres de lapidation qu'ils tenaient déjà dans la main. Et parce que maintenant Jésus reste *« seul avec la femme »* (Jn 8,9), maintenant il relève la tête et la regarde. Sans plus de fierté souveraine et de majesté que le père devant son *« enfant prodigue »,* avec la même tendresse. Il lui dit : Ceux qui voulaient ta mort, tu vois, ils n'ont pas osé te condamner. Et lui qui est sans péché et qui n'a rien de leurs prudents motifs, il les imite cependant : *« Moi non plus, je ne te condamne pas »* (Jn 4,11). La Samaritaine avait *« couru »* vers la ville ; j'ai vu *« un homme qui m'a dit tout ce que j'ai fait. Ne serait-ce pas le Christ ? »* (Jn 4,29). Le texte ne parle pas de ce qu'il advint à la femme adultère et si elle sut obéir à l'injonction fraternelle : *« Va, et désormais ne pèche plus »* (Jn 8,11). Mais il n'est pas interdit de supposer que le souvenir du Nazaréen ne la quitta plus, modifiant l'image qu'elle se faisait du bonheur.

Enfin, ce que relate, en une adjonction, le quatrième évangile. Le crucifié a reparu devant Pierre, Pierre qui l'a renié. Et Jésus, qui sait la faiblesse humaine et lit au-dedans des êtres, Jésus fait comme si rien ne s'était passé. Pas plus que le vieil homme n'a songé à l'évocation de griefs devant son enfant reparu, pas davantage Ieschoua ne fait allusion au reniement de celui qu'il avait surnommé *Képhas,* ce roc fragile. Et, sachant d'avance ce que Pierre va lui répondre, mais pour que Pierre le dise trois fois, trois fois il lui demande : *« Tu m'aimes, Pierre ? C'est vrai que tu m'aimes ? Dis-moi que tu m'aimes. »* Et Pierre sera son témoin jusqu'au bout. La seule promesse qu'exige le

Nazaréen de ceux qui lui ont demandé comment prier, c'est de pratiquer le pardon, le vrai pardon, celui, pareil à l'oubli, qui ne sait même plus qu'il est un pardon.

Les marxistes, aujourd'hui, ne disent plus guère — car les choses ont changé — que la religion sert d'instrument aux profiteurs du *« désordre établi »* pour conduire les naïfs à s'y résigner. Ils disent toujours, cependant, qu'elle reste un *« opium »* en ce double sens qu'aidant l'homme à moins souffrir, avec ses consolations mensongères, elle l'écarte de l'action qui abolirait sa souffrance par le renversement du système d'où lui vient une large part de son infortune ; et qu'aussi, agissant comme un narcotique, ou du moins comme une recette d'engourdissement, elle ankylose la vitalité humaine, dépouille l'individu de son énergie et rend ainsi l'exploité plus docile à l'exploiteur. Mais le marxisme oublie que le Nazaréen a dénoncé le mensonge de qui prétend *« aimer Dieu »* en demeurant indifférent au sort du prochain, et qu'il a parlé de cette réclamation, en nous, de la Justice comme d'une *« faim »* et d'une *« soif »*. Ne peut se dire chrétien l'homme qui prend son parti de l'iniquité ; et qui sait si la violence même n'est pas, en certains cas, et très littéralement, une *« forme indignée de l'amour »*, une intolérance maximale de l'injustice et des maux qu'elle engendre ? Graham Greene, dans *les Comédiens,* fait parler un jeune prêtre d'Amérique latine : *« La violence est une imperfection de la charité, mais l'indifférence est la perfection de l'égoïsme » ;* et un autre de ses personnages, un médecin, lui, incroyant, déclare qu'il *« aimerait mieux avoir du sang sur les mains que de l'eau de la cuvette de Ponce Pilate ».*

Il y a deux violences, et l'on feint trop souvent, chez ceux qui s'intitulent eux-mêmes *« les honnêtes gens*[1] *»* — ou les *« gens de bien »* — de ne pas s'en apercevoir : la violence sporadique et convulsive des victimes, et la violence permanente, institutionnelle, des régimes qui maintiennent l'ordre au moyen d'une police terrifiante et d'une armée dont les mitrailleuses et les chars sont là pour rappeler aux asservis le devoir d'obéissance. Quand il n'existe, pour les affamés qu'on massacre, d'autre chance que la révolte pour échapper à leur condition insoutenable, oserait-on les condamner s'ils se soulèvent ? Oserait-on déclarer coupables et proscrire comme infidèles les chrétiens, les prêtres même qui rejoindraient des insurgés ? La violence détruit et ne crée rien ? Pourtant s'il n'y avait pas eu les quatre-vingt-dix morts au combat le 14 juillet 1789, la Déclaration des Droits de l'Homme n'aurait jamais vu le jour. Mais le père Cardonnel allait au creux des choses lorsqu'il déclarait, le 6 avril 1968, à la Mutualité : *« Une révolution ne se mesure pas à la violence qu'elle déploie mais à la profondeur des racines qu'elle atteint. »*

1. Il n'est pas sans intérêt de rappeler que cette formule, qui connut en France un prodigieux épanouissement après 1848 (et qu'on vit reparaître au siècle suivant, au moment du Front populaire), paraît bien être une création de La Fayette — lequel fut l'inventeur, comme on sait, en 1789, de cette milice bourgeoise, dite *« garde nationale »* dont la fonction très précise était de tenir en respect les démunis et de les dissuader, sous la menace de fusils et de canons, de toute entreprise susceptible de compromettre les privilèges des possédants.

La politique, qui est l'agencement, dans toute la mesure du possible, d'une Cité juste, la politique n'est pas une fin en soi. C'est ce qu'avaient souligné et Jean-Jacques Rousseau et Robespierre et Jaurès ; Jean-Jacques qui voulait, avec son *Contrat social,* permettre à l'homme d'*« accomplir sa destination » ;* Robespierre, qui, dans son discours sur les *« principes d'un gouvernement républicain »,* n'hésitait pas à dire que son but était l'établissement d'un ordre, *« où toutes les âmes s'agrandiront » ;* Jaurès qui voulait délivrer l'homme de l'écrasement économique et le rendre capable de respirer, de lever la tête, de voir *« les étoiles »* et de réfléchir au sens de son destin dans cet *« univers mystérieux »* qui lui parle et le sollicite. Sous une plume communiste, et brillante, j'ai lu que la fête de l'Être Suprême organisée par Robespierre (c'était la première fois qu'un gouvernant parlait de Dieu au peuple dans un autre dessein que de le duper et l'asservir) avait été, de sa part, *« un petit coup de barre à droite ».* Je souhaiterais que l'on en finît avec ce clivage insane qui voit en tout croyant un *« réactionnaire »* et qui voudrait nous faire prendre pour des gens de gauche, et Voltaire, l'ami des *« despotes éclairés »,* et ce Diderot, qui, rédacteur de l'article « Représentants » dans l'*Encyclopédie*, n'admettait, pour « représenter » le peuple au sein d'une assemblée nationale, que les seuls propriétaires. Parce qu'il croyait en Dieu, Jaurès était-il donc un homme de droite ?

Si quelqu'un est au cœur — parlons un instant le langage de Péguy — de la *« mystique républicaine »,* ce fut bien le Hugo de la révolte et de l'exil ; l'humiliation, le servage des pauvres lui était un spectacle intolérable ;

il voulait le renversement d'un régime qui engendrait des tragédies pareilles à celles d'Aubin et de La Ricamarie :

... la mine
Prospérait. Quel était son produit ? La famine.

Il s'adressait aux privilégiés, dénonçant l'exploitation du troupeau qu'ils tiennent à leur merci ;

Étonnez-vous après, ô semeurs de tempêtes,
Que ce souffre-douleurs soit votre trouble-fêtes.

Mais il était, en même temps, déchiré de voir ses deux fils, comme tous leurs camarades dans l'action politique, adhérer au matérialisme déterministe. Nier ce que l'être humain avait, à ses yeux, de plus intrinsèque, c'est, disait-il, lui crever les yeux. Beau travail, celui des propagateurs de ténèbres, façon Taine,

Et l'Institut nous montre, avec un air de gloire,
L'énigme plus obscure et la source plus noire.

Tolstoï met en scène, dans *Anna Karénine,* le biologiste Katavassov qui ricane quand on fait allusion devant lui à l'*«âme»* humaine. Une stupidité, *«l'âme»;* une plaisanterie ; l'inconsistance même. L'intelligence est une sécrétion du cerveau. Plus de cerveau, plus d'esprit. Alors *«l'âme»* laissez-moi rire... Mais Lévine-Tolstoï, qui ne sait que répondre et qu'intimide tant d'assurance péremptoire, garde la conviction invincible d'une identité, en l'homme, personnelle et irremplaçable, aimantée et connaissante. Notre *«je»* est à la fois lui-même et *«un autre»;* une braise *«précaire et farouche»,* vulnérable et dont les généticiens voudraient disposer, faible et pourtant indocile ; qui peut sembler s'évanouir mais qui sans cesse ressuscite dans un entêtement de boussole. L'âme n'est pas on ne sait quelle bulle interne, mal localisable *« pleine de substances éthérées »* et promise à une ascension d'aérostat, mais la composante radicale, la réalité même la plus authentique de l'être humain.

Dans la vaste préface, inachevée et demeurée longtemps inédite, à laquelle il avait d'abord songé pour introduire ses *Misérables,* Hugo avait écrit ceci : une doctrine *« qui donnerait pour idéal au progrès non pas même le bonheur, qui est déjà un but inférieur, mais la forme la plus matérielle du bonheur, le bien-être, cette chose-là, qui s'appellerait religion de l'humanité, rien au monde ne serait plus vain et plus lugubre ».* Je crois bien que Hugo, exagérant un peu, à sa manière, dans l'ardeur qui l'emportait à convaincre les hommes de ne pas oublier l'essentiel, je crois bien que, tout de même, il avait raison. Hugo tenait pour nécessaire — vingt textes le prouvent — la lutte au secours des victimes de l'anarchie économique organisée par les nantis, mais faire du « bien-être » de l'homme (un « bien-être » jugé toujours insuffisant et fouetté dans ses exigences par les incitations du « marché ») le but, l'objectif, la « fin » du « progrès », là est l'aberration. Il en va du bonheur dans la vie, comme du beau dans l'art. Si l'écrivain, si l'artiste se donnent pour souci premier l'esthétique, indépendamment de ce qu'ils veulent exprimer, ils font fausse route. D'abord l'intention. D'abord le contenu. Toute œuvre est la déposition d'un homme sur notre aventure ; et sa grandeur tient à cela même. Le beau viendra par surcroît et d'autant plus saisissant que l'intention sera plus haute et plus englobante. Le terme « sublime », dont il convient d'être économe et qui, étymologiquement, comporte une idée d'élévation, n'est légitime que dans le cas où l'esthétique est dépassée, où une sorte de reconnaissance s'unit à l'admiration, où se mêle au *« bravo »* un *« merci ».* Ainsi du bonheur que je vois comme un corollaire et non pas comme un but. D'abord autre chose. D'abord l'accomplissement de nous-même dans notre réalité vitale, où Dieu palpite.

Il y a un athéisme salubre, celui qui nie ce que Dieu, effectivement, n'est pas. Passons sur l'image enfantine du vieillard céleste avec — comme disait Vallès — *« son rond de casserole sur la tête et sa belle robe de chambre bleue ».* Mais une autre représentation persiste ; celle du despote assoiffé d'hommages, qui se plaît aux ovations et les réclame ; jamais assez ; jamais trop ; un très redoutable tyran dont les initiatives ne relèvent que de son bon plaisir et qu'il faut constamment supplier pour obtenir qu'il se décide à la miséricorde. Auprès de ce potentat s'agitent, par chance, des intercesseurs dont tout l'emploi, en dehors de leurs hymnes, est de lui remettre humblement des placets en faveur de ceux qu'oublie sa Providence ; ses sujets terrestres ont intérêt à se choisir, au ciel, des auxiliaires qualifiés et qui, ayant l'oreille du maître, peuvent déclencher ses bonnes grâces ; et ils le persuadent de puiser dans le capital de *« mérites »* créé par l'immolation de son Fils, mérites inépuisables et réversibles, qui sont là tout justement pour compenser les offenses des pécheurs. Car tout est affaire de poids et mesures dans l'ordonnance de la justice divine. Tel directeur de banque, « grand croyant » mais réaliste, m'exposa un jour, en toute sérénité, la texture de sa foi. Il était avec Dieu en excellents termes, n'entretenant d'ailleurs avec lui que des rapports purement commerciaux. Qui n'a vu, en Italie, une succursale de cette « Banque du Saint-Esprit » dont le nom semble n'avoir jamais surpris personne ; et, de passage à Rouen où m'avait conduit le souvenir de Jeanne, j'ai admiré, près du lieu où *« la petite sainte »* fut brûlée vive, une « Charcuterie du Sacré-Cœur ».

Péguy distinguait deux athéismes qui lui paraissaient tout à fait dissemblables. *« Tout n'est point perdu,* disait-il, *il s'en faut, avec un athéisme révolutionnaire »* (et c'était déjà la pensée de Hugo ; que l'on se remémore, dans *les Misérables,* l'épisode, qui fit hurler, de l'évêque et du conventionnel). L'athéisme révolutionnaire croit à des devoirs, d'impérieux devoirs, de solidarité humaine. Mais *« il n'y a rien à faire avec un athéisme réactionnaire, un athéisme bourgeois* [...]. *C'est un athéisme sans charité, sans espérance* [...]. *De l'athéisme réactionnaire, de l'athéisme bourgeois on ne peut rien attendre, que cendre et poussière, parce que tout n'y est que mort et cendre. »* A propos des *« chrétiens »,* comme on dit, *« qui s'ignorent »,* Péguy évoquait aussi ces quantités de *« chrétiens »* écrivait-il, *« qui ne s'ignorent pas, mais qui ne sont malheureusement pas chrétiens ».* Si je me souviens bien, c'est pour la célébration d'un Noël que Mauriac traça ces lignes, concernant Jésus-Christ : *« Beaucoup, qui croient le haïr, n'ont jamais cessé de l'aimer, et beaucoup, qui font profession de le servir, n'ont jamais su qui il était.»* Valent cent fois mieux, disait Tolstoï, ceux qui *«écoutent Dieu sans le savoir»* que ceux qui, prétendant le connaître, se conduisent *«comme s'ils ne l'avaient jamais connu».*

L'Église ? Je dirai là toute ma pensée ; exactement toute. L'appel au respect de la tradition ne va pas sans danger. Car enfin les bûchers de Jean Hus et de Savonarole appartiennent à la tradition ; ceux des juifs aussi. Et pourtant l'Église n'aime point que l'on s'y réfère et l'immuable Tradition s'est modifiée à ce sujet. Les *« indulgences »,* ces réductions de peine, ces abrègements du Purgatoire allant jusqu'à l'annulation *«plénière»* qu'obtiendraient telles prières, telles formules, tels gestes et même (puis on y renonça) tels généreux versements — les indulgences ne font-elles pas partie intégrante de la Tradition ? Et pourtant, sur ce thème, l'Église, aujourd'hui, fait silence. Sur ce point également, la voici donc en défaut, cette Tradition sacrosainte. Et si sa loi commande, pourquoi ne pas remonter aux origines mêmes de l'institution ? Pendant plus de mille ans, il ne fut pas question, dans l'Église, du célibat ecclésiastique. Que les « sacrements » soient au nombre intangible de sept, de quand, cette disposition légale ? Pas antérieure au XIe siècle, peut-être au XIIe. Et que les célébrants de *«l'eucharistie»,* cette *«action de grâces»,* aient eux-mêmes le pouvoir de *« transsubstantiation»,* ce privilège ne leur fut dogmatiquement reconnu qu'en 1215. Ainsi, d'une part, la tradition a des oublis, et d'autre part elle fixe ses commandements de manière étrange et arbitraire. Impossible, en conséquence, de la prendre tout à fait au sérieux[1]. Je crains que ne dise vrai ce prêtre que ne frappa aucune condamnation et qui considérait ouvertement certains éléments de la Tradition moins comme des *« flambeaux »* que comme *« du bois calciné »*. Et pourquoi diable (si j'ose dire) l'exhibition persévérante de la « garde suisse » ? Hommage à la grandeur militaire des papes de la Renaissance, cuirassés et chefs de guerre ?

L'Église ne saurait, elle-même le proclame, *« errer »* jamais, pas plus que *« faillir »*. Ce qu'un pape a décidé *ex cathedra,* et dans l'exercice de son *« infaillibilité »*, est décidé pour toujours. A la doctrine, aucune retouche n'est concevable, encore moins une rectification. Toutefois, la *« liberté de conscience »* proscrite par le *Syllabus,* Vatican II, cent ans plus tard, a bien voulu, discrètement, admettre ce truisme. Mais le concile de Vatican II, une calamité, pour le Maritain du *Paysan de la Garonne,* si loin de son *Humanisme intégral,* qui mettait jadis Claudel en fureur. Un *« lâchez tout »*, Vatican II, pleurait notre thomiste, et c'est à Julien

1. S'ajoutent, de temps à autre, à la panoplie de surprenantes innovations. Ainsi, en 1854, sous Pie IX, cette *« immaculée conception »* de Marie (la mère du Christ personnellement exempte du péché originel). Nul indice, dans les « textes saints », de ce privilège — et d'autant moins, comme on sait, que les évangiles ne font jamais mention dudit « péché originel ». Puis en 1950, de par la volonté de Pie XII, l'*« assomption »* corporelle de la Vierge a été promue au rang d'article de foi. A l'origine de cette légende populaire, si fâcheusement superflue, pas d'autre source « historique » que dans l'inflation du « merveilleux » où se complurent les apocryphes.

Green qu'il confiait cette lamentation, lequel Green pensait comme lui : une *«menace sur l'essentiel*[1] *».* Commentaires à voix basses qu'accompagnaient les malédictions vociférantes du RP Bruckberger[2].

Quand «tomba» naguère la nouvelle d'un pape non italien, le cher cardinal Marty (et je dis «cher» parce qu'il m'est cher et que je lui porte estime, respect, affection) s'écria, transporté : *«Enfin l'Église se convertit !»* Naïveté pathétique. D'autres dirent avec des accents divers : *«L'Église bouge.»* Pour *«bouger»* elle bouge, certes, spatialement. Dans son ultime ouvrage, *Exode,* Jean Sulivan le notait, hochant la tête : *«Nos Excellences»* circulent aujourd'hui *«sur tous les chemins du ciel».* Dirai-je — mais oui, je le dis — que j'en suis mal édifié. Cette quête des applaudissements, ces manifestations spectaculaires ont si peu de rapport avec ce que peut être la propagation réelle du christianisme d'esprit à esprit, de cœur à cœur, dans le silence et le secret. Me griffe, me blesse l'ambiguïté d'une démarche où l'apôtre est en même temps chef d'État. Le

1. Ce qui n'est pas sans évoquer la sentence prononcée par le Saint-Synode de toutes les Russies (24 février 1901) contre ce Tolstoï qui, *«dans la séduction de son orgueil, s'est soulevé audacieusement contre notre Dieu et son Christ»* et *«a consacré son talent, avec toute l'ardeur du fanatisme, à la destruction de l'essence même de la foi chrétienne» ;* alors que, précisément, tout l'effort de Tolstoï n'avait d'autre but que de restituer dans sa vie profonde une foi compromise par son caractère de religion d'État et par l'enseignement mécanique des popes.

2. Dans son ouvrage, en 1951, intitulé *les Cosaques et le Saint-Esprit,* le RP Bruckberger honorait le *Syllabus* d'une *«ferveur particulière».* Ce paladin de la Bonne Cause précisait également qu'il n'était pas de ces naïfs qui *«tendent l'autre joue»* et qu'il était résolu, pour sa part, à *«rendre dix coups pour un».*

représentant du Nazaréen — ce marginal, sans domicile fixe, et ce subversif — est accueilli comme un prince, avec vingt et un coups de canon et ne voit pas d'inconvénient à passer, en revue, au Brésil, des soldats dont il sait très bien ce qu'ils font, au service de l'Argent. (Où est-il, le Jacques Maritain de 1937, écrivant, à propos de l'Espagne ensanglantée : *« Ceux qui tuent les pauvres sont au moins aussi coupables que ceux qui tuent les prêtres. » ?*) M'est pénible, également, cette façon qu'a le pape Jean-Paul II — sans l'ombre d'une papelardise, viril, et forçant la sympathie — de brandir intrépidement *« les droits de l'homme »,* quand on sait à quel point l'Église les a piétinés. Lorsqu'il s'agit, en vérité, de tellement autre chose, on ne peut qu'être malheureux de voir déployer, pour les visites de *« Sa Sainteté »,* d'énormes moyens publicitaires comme pour le lancement d'un produit[1].

Le pape aime à recueillir les acclamations de ces *« chrétiens de naissance »* qui peuplent telles contrées où la foi serait générale, ancestrale : mais il n'existe pas de *« chrétien de naissance ».* Le christianisme est un choix, une option personnelle et intime, ou il n'est rien qu'une habitude, une conformité atavique. A ceux qui lui disaient : Vous êtes chrétien parce que vous êtes né dans l'aire d'expansion du christianisme ; vous seriez bouddhiste si vous étiez né à Ceylan, ou musulman au Caire, Pascal répondait que cette influence

1. Et je ne m'évanouis pas de bonheur parce que le pape veut bien enfin (septembre 1981) admettre la légitimité de la grève. L'Église se traîne, avec une lente résignation, sur la route, qu'elle n'ouvrit certes pas, des nécessaires réformes sociales.

évidente du milieu, il se *« roidissait contre*[1] *»*. Croire parce que l'on croit autour de soi, ce n'est qu'une foi sociologique et, telle quelle, courant le risque de disparaître avec une modification de l'ambiance. L'existence d'une « religion d'État » fait que l'on doit être, en religion, soumis à qui gouverne. Rappelons-nous La Bruyère : Qu'est-ce qu'un dévot de cour ? c'est un homme qui, *« sous un roi athée, serait athée »*. Regardez ce qui s'est passé à l'heure de la Réforme. Restèrent catholiques les peuples gouvernés par des princes qui demeuraient catholiques, et devinrent automatiquement protestantes les communautés régies par des princes antiromains. Et croyez-vous que Jules Ferry fut responsable, avec son « école laïque », de la « déchristianisation » ? Ferry supprimait, dans l'enseignement primaire, l'obligation imposée à l'instituteur de commencer son cours par une prière et de veiller à ce que les écoliers fussent tous présents, le dimanche, à la messe. Or beaucoup de parents étaient déjà loin, en France, de souhaiter le règne officiel du catholicisme. Ferry ne fit qu'abolir une injuste — et odieuse — contrainte. Levée la contrainte, apparut l'étendue de l'incroyance, l'ampleur d'une « déchristianisation » depuis des années accomplie. Et Jean Delumeau peut à bon droit se

1. Je sais très bien que j'ai été marqué par le climat moral qui fut celui de mon enfance. Mais beaucoup, dans mon cas, se firent rebelles à cette pression et n'eurent le sentiment de se récupérer que dans une rupture d'autant plus violente qu'ils avaient été jadis plus crédules. Et certes il n'est pas impossible d'aimer le Nazaréen et de vouloir le suivre après avoir été dressé à le faire ; mais à condition d'avoir remis en cause cette croyance reçue et de l'avoir muée en une adhésion qui ne doit plus rien à l'hérédité et au milieu.

demander s'il y eut jamais *« christianisation »* réelle et si le mot *« chrétienté »* ne recouvre pas une illusion.

Pour que l'Église romaine puisse aujourd'hui, peut-être, retrouver quelque audience, il faudrait, de sa part, et avant toutes choses, un *mea culpa* explicite ; qu'elle ait le courage d'avouer son histoire, si souvent abominable, ses fautes, ses crimes, et de le faire hautement, publiquement, loyalement. Pour être prise au sérieux, c'est la première condition qu'elle doit remplir. Paul VI, au début de son pontificat, avait bien murmuré quelques mots, en ce sens, mais la Curie, horrifiée, sut le convaincre de n'y pas revenir. Et cependant combien, ah ! combien l'Église — j'entends la hiérarchie, les « autorités », les responsables — ont à demander pardon, tant ils ont offert aux hommes une image défigurée de la Bonne Nouvelle ! Nécessité, absolue nécessité pour elle de se *« convertir »*, oui, de redevenir enfin ce qu'elle doit être, ce qu'elle fut dans l'intention de son fondateur. *Aggiornamento* ne peut signifier simplement : mise au goût du jour, amélioration d'une vitrine, embellissement de l'étalage. Il ne saurait suffire de présenter mieux et de façon plus avenante des fleurs en plastique, préalablement *« dépoussiérées »*. Et ce serait déjà quelque chose si le langage de la liturgie se délivrait d'un vocabulaire hérité des temps monarchiques où Dieu était célébré en portant au superlatif les éloges requis pour les souverains temporels. La *« gloire »* de Dieu ! Le même mot que pour Charlemagne ou pour Louis XIV. Dieu *« roi du ciel »*, comme le fils de Napoléon était *« roi de Rome »,* et les hommes *« rendant grâce à Dieu pour son immense gloire »,* quelle pitié ! Non seulement des mots fanés, des syllabes mortes, mais une involontaire et lamentable dérision. Et ce Christ *« assis à la droite de son Père » !* Et ce seigneur qui réside *« au plus haut des cieux » !* Pas étonnant que Gagarine, le premier cosmonaute soviétique, ait pu s'esclaffer : *« Pas vu ! Personne ! »* C'est qu'il n'était pas monté assez haut, voilà tout. Tonzi, dont j'ai déjà rapporté un propos solide, Tonzi-le-fidèle, me disait « Ne vous réjouissez pas trop vite de ce que le latin recule, à la messe, au profit des langues vernaculaires. Les gens, en latin, du moins ne comprenaient-ils pas ce qu'on leur faisait dire ; mais maintenant, hélas, maintenant !... » Quand je pense qu'un très respectable ecclésiastique, un peu inquiet de la préséance que des imprudents lui font l'effet de vouloir accorder, sur Dieu, à Jésus-Christ, dans un récent ouvrage précisément intitulé *Dieu, ou le Christ,* réclame *« une nouvelle scolastique »* mais qui aurait *« la rigueur et la cohérence de l'ancienne »,* qualités, affirme-t-il, *« qui firent sa force pendant dix siècles ».* Encore la vertu décisive des concepts. Encore le mental à la place du vital. Un académicien de date récente, (et dont l'élection a provoqué quelque hilarité), apprenant qu'il se trouve des prêtres, aujourd'hui, pour ne pas voir d'obstacle à ce que le baptême, comme à l'origine, soit réservé aux adultes, entra en frénésie ; ces malfaiteurs, selon lui [1], se rendent coupables de *« non-assistance à personnes en*

1. Rappelons que le même Michel Droit, évoquant, dans son livre de 1981, *les Lueurs de l'aube,* le conclave de 1958 qui eut

danger », car nul n'ignore que le nourrisson qui mourrait sans baptême connaîtrait, outre-tombe, un sort très cruel — ce dont Paul, saint Paul lui-même, ne s'était pas avisé [1]. Et que penser de ces défilés dans les cérémonies vaticanes, ce carnaval de chapeaux pointus, ces parades burlesques considérées sans doute comme opportunes pour l'hypnose des simples ; spectacles devant lesquels le chrétien sincère hésite entre la gêne, la tristesse, la colère et l'humour ? Et que dire de ces encycliques comme *Humani generis,* où demeure sous-jacente une conception périmée de l'univers et de l'homme, ou comme *Humanae vitae* que sous-tend si visiblement l'idée — non chrétienne — d'une souillure entachant plus ou moins toute relation sexuelle ?

Durant des siècles, et tant qu'elle a pu conserver au clergé les faveurs du pouvoir civil, l'Église s'est faite obstinément complice d'une organisation sociale qui sacralisait l'iniquité. N'oublions pas que le *Sillon* fut condamné en 1910, expressément pour avoir, entre autres impiétés, voulu modifier un système où la hiérarchie des classes appartenait, selon Pie X, aux lois même du plan divin. Dans le monde, avec ses centaines, ses milliers de quotidiens, hebdomadaires et périodiques, la presse catholique constitue une puissance. Elle se prétend partout au service d'un maître qui, après les Prophètes, se fit le défenseur des faibles et

---

à désigner le successeur du grand Pie XII, observe avec vigueur que les cardinaux votèrent *« pour le plus bête »,* autrement dit Jean XXIII.

1. On notera que l'idée d'un rapport entre le baptême et le péché originel n'apparut qu'au IVe siècle seulement, avec saint Augustin.

des opprimés. On ne saurait guère déceler chez elle la présence de ce souci. Navrants, ces propos du pape Jean Paul II, lors de son voyage aux Philippines, saluant comme délégué de la nation un dictateur couvert de sang, et trouvant bon de conseiller à des foules affamées de ne point se laisser obséder par l'appétit des biens matériels. Une aubaine, ces recommandations, pour le terrorisme d'État.

Ne cédons pas à des trompe-l'œil quant au nombre réel des chrétiens sur la terre. Chrétiennes, ces foules d'Amérique latine qui firent au Souverain Pontife l'accueil assourdissant que l'on sait ? Sous le badigeon catholique qu'imposèrent les conquérants subsiste un paganisme à peine maquillé ; ces primitifs disaient eux-mêmes que celui qui venait à eux était le *« grand sorcier »* blanc. Quand, là-bas, s'effacera l'analphabétisme, il est plus que probable que se dissoudra en même temps un pseudo-christianisme gestuel. Chez la *« fille aînée de l'Église »* — formule pour désigner la France, si contestable désormais et que tout esprit honnête souffrait d'entendre clamer et redire lors de la visite papale à Paris au printemps de 1980 —, les *« cinquante mille jeunes »* réunis au Parc des Princes, avec la collaboration entreprenante de ces militants de l'intégrisme bourgeois baptisés *« scouts d'Europe »,* que représentaient-ils réellement par rapport à l'ensemble de la jeunesse française ? Presque rien. La ruée des « jeunes » est d'une autre ampleur pour les fêtes de la moto ou du rythme. Une enquête conduite par la revue catholique *Panorama aujourd'hui* auprès des étudiants lillois (février 1980) révélait que, sur cinquante mille jeunes gens et jeunes filles inscrits aux facultés de Lille, *cent* au maximum se déclaraient *« croyants et pratiquants ».* Je me trouvai, en 1965, à l'université Laval, la grande université catholique du Canada francophone, et le recteur me confia que, sur cinq mille étudiants, il n'en comptait guère que *« cinq cents »* qui, me disait-il, *« croyaient plus ou moins ».* Je crains qu'entre 1965 et 1981 ce chiffre n'aie fortement décru. Un voyageur attentif qui traversa, dans l'été 1980, la province de Québec notait que, dans la jeunesse intellectuelle, à Montréal comme à Québec, c'est à qui ferait profession de l'athéisme le plus agressif. (Je sais bien de quel étouffoir clérical ce pays avait été longtemps victime.) En Italie, en Espagne, dans l'Amérique du Nord, l'encyclique de Paul VI condamnant telles méthodes pour la régulation des naissances non seulement fut tenue pour nulle par un très grand nombre de « fidèles », mais en découragea beaucoup. Et si les Polonais adultes, ouvriers et paysans, s'affirment à l'unanimité ou presque, ardemment catholiques, Jean Paul II reconnaît et déplore que la jeune génération, en Pologne, et particulièrement dans les universités, prend ses distances, et de plus en plus, à l'égard de l'Institution.

Ces innombrables abandons de prêtres auxquels nous avons assisté, qu'on ne nous dise pas, car c'est faux, qu'ils tinrent, avant tout, à d'incoercibles pulsions sexuelles. Beaucoup ne choisirent point la voie du mariage et presque tous demeurent profondément croyants. Simplement ils n'en pouvaient plus de répéter des phrases qui leur semblaient vides, et d'être devenus pareils à des préposés de « stations-service » pour la distribution de « sacrements » magiques. Les chiffres sont là ; chute verticale des ordinations. Elles ont passé, pour la France, de 1 679 en 1900 à 850 en 1959 et 125 en 1980, et le nombre des participants à la messe dominicale décroît sans cesse sous l'effet de défections discrètes mais ininterrompues. Un effondrement. Tout se passe comme si se vérifiait l'assertion de Lamartine dans le dernier texte de sa main sur le destin de l'Église ; il avait soixante-quinze ans quand il écrivait, en 1865 : l'Église est *« une institution dont le présent se détache »* et qui ne prolongera sa vie qu'au moyen *« d'honnêtes accommodements de la fatalité ».* L'Église, pour ne pas mourir, a besoin d'une mutation radicale. Il me paraît imprudent — et c'est un euphémisme — de considérer comme « chrétien » quiconque sait par cœur une liste d'affirmations établies par des spécialistes qui se déclarent, autoritairement cautionnés, mandatés, inspirés par le Saint-Esprit, ou mieux » (comme à Éphèse), authentiques porte-voix de *« Notre Seigneur Jésus-Christ ».* La foi n'est rien, n'existe pas, si elle ne s'accompagne d'un regard neuf sur la vie et l'emploi de la vie, d'une disposition fondamentale de l'être éveillé, renouvelé, d'un départ intérieur aussitôt traduit en actes. La foi n'est pas un savoir. Le danger du dogmatisme est de substituer à la foi vécue *« un ossuaire de concepts ».* Jacques Ellul a su montrer avec une force lucide ce qui distingue la foi de la croyance. La croyance n'est qu'une adhésion intellectuelle, de qualité variable, à une doctrine. On peut être d'une orthodoxie parfaite, avoir dans la tête une *« parfaite collection de fossiles »* et tout ignorer en même temps du christianisme. L'Évangile est bien une source, mais les édifices notionnels, les bâtisses mentales risquent de geler ou de pétrifier la source ; *« Et qui voulez-vous,* disait Sulivan, *qui aille boire à des sources pétrifiées ?»*

On ne rendra pas aux hommes la connaissance de ce qu'ils sont au moyen d'épandages effusifs, ou de la grandiloquence. Les spiritualités flasques et poisseuses écœurent autant que rendent sourds les dithyrambes emphatiques. Ceux qu'on a nommés, en souriant, *« les ténors de la proclamation »,* loin d'être persuasifs, sont, la plupart du temps, désastreux. *« Dieu »* est un vocable dont l'usage demande beaucoup de retenue. Rebattu, clamé, hurlé, il engendre vite *« l'insupportation »* (un néologisme de Flaubert ; du même Flaubert ; le mot *« Dieu »* est *« une espèce d'éternuement familier aux ecclésiastiques »*). Pour mieux induire les hommes à deviner l'immanence à la fois et la transcendance divine, la meilleure méthode n'est pas de leur enfoncer Dieu dans le crâne comme un clou sur lequel on taperait avec une inlassable furie. Ce n'est pas pour rien qu'il est dit, au livre des *Rois* que Dieu ne se manifeste pas au fracas du tonnerre et dans l'ouragan, mais que sa présence est semblable à ce petit souffle, une seconde, dans la paix du jour, qui remue l'herbe à peine.

Quelques signes semblent indiquer, par bonheur, le commencement — Dieu le veuille ! — de l'indispensable mutation-conversion. Avec une prudente audace, au sujet de la Rédemption, le n° 337 du périodique dominicain *Fêtes et Saisons* (août-septembre 1979) s'exprime ainsi : *« On a dit* [qui donc est cet *« on » ?* Mais Paul, mais Augustin, mais tous les papes] *on a dit qu'il fallait la mort du Christ pour réconcilier l'humanité avec Dieu, le sang de la croix obtenant le pardon divin*

[...]. *Cette manière de présenter la mort du Christ a besoin d'être expliquée* [pour ne pas dire qu'il importe d'y renoncer]. *Sinon elle conduit à une idée de Dieu qui n'a rien d'évangélique ; s'il faut du sang pour la rédemption des hommes, ne sommes-nous pas ramenés à ces dieux cruels auxquels on faisait des sacrifices humains ? Et qu'est-ce qu'un Dieu qui demande, par son fils, de pardonner soixante-dix sept fois sept fois et qui en est lui-même incapable ?* [...] *Comment le père de l'enfant prodigue pourrait-il désirer la mort d'un fils innocent ?»* Excellent. Mais peut-être aurait-il été opportun de marquer à quel point cette prise de position s'éloigne de ce que la théologie officielle a toujours enseigné. Et Claude Tresmontant, fidèle insoupçonnable à qui l'on doit des ouvrages riches et denses sur l'Ancien et le Nouveau Testament — un livre aussi sur le modernisme peu suspect de complicité —, dans ses *Problèmes du christianisme,* envisage la Rédemption tout autrement que « rachat », interprète avec discernement ce *« péché originel »* dont le Nazaréen n'a jamais fait mention, et rejette, de manière absolue, l'idée (qu'un Péguy ne mettait pas en doute) de notre immédiate comparution, *post mortem,* devant le tribunal divin. Tresmontant, qu'on déguiserait difficilement en contestataire, ne cache point qu'il ne croit pas à un *« jugement » : « Nos actes,* écrit-il, *ne sont pas comptabilisés ; nous serons ce que nous avons fait de nous-même*[1]. » Dans le dernier texte que Mgr Riobé publia

1. Tresmontant a eu l'insigne mérite d'appeler notre attention sur les avatars d'un message reproduit d'abord en araméen, puis traduit en grec, puis, tardivement (au Ve siècle), en latin. D'une traduction à l'autre, des déperditions de sens et des distorsions.

avant sa mort accidentelle, ce courageux évêque souhaitait que nous sachions *« nous délivrer de nos formules exsangues et de nos abstractions*[1] *».*

Des événements se déroulent aujourd'hui dans ces terres « chrétiennes » d'Amérique latine où l'inégalité est telle qu'une poignée de familles opulentes se partage le sol tandis que ceux qui le font fructifier connaissent une détresse sans nom. Et voici qu'enfin ces asservis prennent la parole non plus pour solliciter, à genoux, l'octroi de quelques miettes mais pour réclamer, debout, la justice. Ils n'entendent plus l'Évangile comme cet appel à la résignation derrière lequel s'abritaient des exploiteurs cyniques mais comme une exigence d'équité. Et le fait nouveau, réconfortant, c'est qu'en ces contrées solaires et nocturnes une partie du clergé et de la hiérarchie elle-même a su rejoindre les révoltés ; au point qu'au Salvador l'archevêque Romero paya de sa vie l'entier appui qu'il donnait à la lutte des misérables. Les mercenaires de l'accaparement l'ont tué en pleine église, alors qu'il y officiait. On a pu lire dans *Fêtes et Saisons,* en janvier 1981, que *« déstabiliser l'ordre établi sur l'injustice est un devoir pour les croyants »,* que *« changer un monde injuste »* est pour eux *« une obligation ».* Il n'est pas indifférent non plus de voir le « général » des jésuites (RP Arrupe) s'adresser, en juin 1981, aux « provinciaux » d'Amérique latine pour préciser que, si *« l'analyse marxiste »* contient de

---

Et cependant, en 1546, au concile de Trente, cette *Vulgate* au texte fautif fut érigée, officiellement, en document capital pour la connaissance des évangiles.

1. Cf. *le Monde,* 9 juillet 1978.

l'inacceptable, il en va de même des *« analyses sociales que l'on pratique habituellement dans le monde* [dit] *libéral »,* lesquelles *« impliquent une vision individualiste et matérialiste »* également *« destructrice »* de valeurs essentielles. *(« A cet égard,* notait le RP Arrupe, *sommes-nous assez attentifs au contenu des manuels en usage dans nos écoles ? »)* Et le même Arrupe dénonçait les *« tentatives »* des habiles s'empressant de *« condamner comme marxiste l'engagement pour la justice et pour la cause des pauvres » ; « certaines formes,* ajoutait-il, *de l'anticommunisme ne sont que des moyens de couvrir l'iniquité ».*

Quant à moi, en dépit de tout, je reste et resterai membre de la communauté catholique. Pourquoi ? Parce que Jeanne « d'Arc », assassinée par les prêtres, s'est abstenue de les maudire. Parce que Blaise Pascal, que Rome poussa aux frontières de la rébellion quand le pape exigea des jansénistes un mensonge (que les *« propositions »* censurées dans l'*Augustinus* s'y trouvaient littéralement, alors qu'elles n'y figurent pas), se retint, se domina, choisit, dans un terrible effort, de ne pas rompre. Parce que Marc Sangnier, condamné par Pie X, plia sans casser. Parce que La Berthonnière, Teilhard, Steinmann et bien d'autres, persécutés, surent ne pas quitter la maison. Parce que Marcel Légaut, en toute connaissance de cause, a dédié un de ses livres *« à l'Église, ma mère et ma croix ».* Parce que je n'ai pas envie de rejoindre le malheureux Lamennais qui, ayant rompu, finit si mal. Parce que si *« le message, parfois, se voile la face en traversant le messager »*, il existe, il demeure, ce message, toujours présent, toujours crédible. Parce que, trahissant et retrahissant la Parole qu'elle avait mission de répandre, l'Institution, en même temps, conservait intacte cette Parole qui la condamnait.

Jaurès, dans *l'Armée nouvelle*, consacre à Turenne quelques mots qui vont loin : *« Aux sobres récits qu'il faisait de ses campagnes* [...] *Turenne mêlait de fortes remarques sur la vie humaine. Il avait médité les choses religieuses et ce n'est point par courtisanerie qu'il s'était converti au catholicisme. La lettre, si curieuse, où il maintient quelques idées de la Réforme, mais où il regrette que les réformateurs ne soient pas restés dans l'Église pour la réformer du dedans, atteste le sérieux et la noblesse de sa pensée. »* Dans l'abaissement et la suffocation du présent, l'Église, tout de même, nous invite à ne pas regarder seulement à ras de terre, à lever la tête pour respirer un autre air que celui d'une « civilisation » démente qui dresse l'homme — pollution majeure — à *« ne désirer que ce que les machines peuvent donner »*. Comme je comprends Hugo et son vers sur les *« bons clochers » (« les bons clochers sortaient des brumes matinales »)*; ils sont un rappel de notre destination, un soulèvement de la matière, l'image d'un élan. Attrait des Églises pauvres, de ces églises de campagne où se rassemblent, le dimanche, si peu de gens, mais qui ne sont pas là *« pour l'exemple »*, ni par respect d'un code mondain, mais parce qu'ils aiment à se recueillir ensemble, c'est-à-dire se recentrer ensemble autour de ce qu'ils ont à la fois de plus intime et de plus commun.

Enfin, quoi, Guillemin, vous y croyez, vous, vous y croyez vraiment, au « Paradis », à l'autre vie ? Laissez-moi encore, et une fois de plus, citer ce Jaurès qui est, avec Hugo, un de ces « grands bougres » dont la compagnie m'aura été sans prix. Ayant vu mourir et Pierre Maury et Santumier, Jaurès disait publiquement : *« Je crois, d'une foi profonde »* que la personne humaine *« se survit selon ce qui est sa forme propre »,* préservée qu'elle est de l'abolition par *« cet infini même »,* dont elle a connaissance au centre de son identité. Dans le récit de J.-P. Sartre, *le Mur,* l'homme qu'on va tuer ne parvient pas à concevoir sa disparition dans l'inexistence et l'Ivan Ilitch de Tolstoï s'interroge : *« où serai-je quand je ne serai plus ? »,* ce qui, dans cette formulation, est un non-sens mais révèle l'incapacité, chez l'homme, de penser le néant, lequel est effectivement impensable. Transfert, pour moi, la mort. Je m'interdis en même temps toute représentation imaginée de l'*« ailleurs ».* Encore un mot : *« ailleurs »,* impropre et faux, car il implique localisation, et l'au-delà est pour moi ce temps sans durée et ce lieu sans espace où la présence succède au pressentiment. La vie *« éternelle » ?* Mais ce terme réintroduit la notion (accablante) de durée dans ce qui échappe à nos catégories humaines de temps et d'espace — modifiées du reste par les progrès de la physique. Plutôt qu'*« éternité »,* je songerais à *« intensité ».* Sans cerveau, encore la pensée ? Vous voulez rire ! Mais Bergson voyait le cerveau au service de la pensée.

Un ami que j'avais, et qui nous a quittés, croyait, dur comme fer, à des *« communications »* entre vivants d'ici et ces autres vivants disparus et, pour lui, non pas effacés mais changés. Et il m'apportait de troublants témoignages. Soudain, par l'entremise d'un médium qu'il tenait pour incapable de tricherie, s'était manifesté à lui quelqu'un qui donnait son nom, un nom aussi parfaitement inconnu du médium que de lui-même. Il en était resté plus que perplexe, un peu agacé même, car il s'agissait d'un prêtre, et Pierre avait toujours éprouvé à l'égard des ecclésiastiques un éloignement viscéral. Et par hasard — le plus grand des hasards — quelque temps plus tard, lui vint la preuve qu'avait réellement vécu, dans tel monastère dont Pierre ignorait tout, celui qui s'était nommé à lui. Et il ne cessa plus de recevoir des « messages » de temps à autre, de cet intrus déconcertant devenu, pour sa stupeur, un compagnon invisible.

Les récits que l'on m'a fait lire de contacts avec ces *« âmes en allées »* dont parlait Victor Hugo, tous ne provoquent pas en moi (quelques-uns, si) le refus, l'incrédulité. Peut-être parce que nous avons perdu un petit enfant qui déjà nous aimait, j'ai toujours cru à la mystérieuse présence sur nous, ses parents, d'un regard de tendresse. Vous souriez, avec une triste condescendance ? Je peux avoir tort, sans doute ; mais êtes-vous sûrs d'avoir raison ?

Et la prière, qu'en dites-vous ? Vous la voyez comment ? Une requête ? Quelque chose dans le genre des nobles suppliques qu'un Hugo particulièrement en verve, dans une page de son *Napoléon le Petit,* prête aux *« hommes religieux »* dont le coup d'État de Louis Napoléon Bonaparte avait reçu l'adhésion massive : *« O mon Dieu, faites hausser mes actions de Lyon. Doux Seigneur Jésus, faites-moi gagner vingt-cinq pour cent sur mes Naples certificat Rothschild. Saint-Esprit, vendez mes vins. Bienheureux martyrs, doublez mes loyers. Sainte Marie, mère de Dieu, daignez jeter un œil favorable sur mon petit commerce. Tour d'ivoire, faites que la boutique d'en face aille mal.»* Ces indécentes caricatures sont bien dans la manière de ce grossier. Elles sont d'un homme, cependant, qui croyait à la prière, qui priait et qui, rassurant un douteur tenté par le scepticisme, lui disait, sans forcer la voix : *« Votre prière en sait plus long que vous. »* Demander à Dieu telle chose qui ne dépend pas de nous, tel bienfait du sort, telle guérison, par exemple, à laquelle nous attachons un prix immense, à ce sujet je reste indécis, hésitant, divisé, parfois *contre* tout à fait (Dieu ne sait-il pas ce qui nous est meilleur ? Gare à la superstition et aux prestiges de la mythologie !) et parfois prêt au Oui ! Oui ! Merci ! Que l'on m'accorde ici vingt lignes pour un récit dont je puis garantir chaque détail. Un enfant de douze ans est frappé par la poliomyélite. Ses jambes se paralysent, puis le bassin. Le médecin ne cache pas son pessimisme : *« Demain, si le mal continue à gagner, transport à Paris ; poumon d'acier. »* Ces paroles sont d'un 14 août au soir. La mère de l'enfant prie à son chevet, puis s'endort. Soudain, à l'aube, elle est réveillée par le petit qui lui parle, souriant pour la première fois depuis dix jours, et disant qu'il a faim. Elle se précipite, l'embrasse ; il n'a plus de fièvre. Le médecin, vers huit heures, constate : le mal est jugulé ; et l'enfant ne gardera de ce drame pas même la moindre séquelle. Nous apprendrons plus tard — pourquoi feindre ? pourquoi cette pudeur craintive ? On l'a déjà compris, c'est bien de nous qu'il s'agit, ma femme et moi, et notre fils Michel ; cela s'est passé en 1955, à

Blois — qu'un prêtre de nos amis avait passé en prière, et sans dormir, un seul instant, la nuit du 14 au 15 août. Admettons. Là où le traitement achoppait, la prière aurait réussi. Mais voici la relation, tout aussi véridique, d'une tragédie qui se déroula en décembre 1832. Lamartine est à Beyrouth, avec sa femme et sa petite Julia, dix ans et demi, son unique enfant. Elle tousse, elle étouffe. Elle a déjà, au printemps, en France, été gravement malade *« de la poitrine »*. Lamartine revient juste d'un pèlerinage à Jérusalem. Au chevet de l'enfant menacé, il prie comme il n'a jamais prié. Il a relu, ces jours-ci même, les évangiles : *« Tout ce que vous demanderez à Dieu en mon nom... »* Enfin, vous savez bien. Inutile de compléter la phrase. Promesse formelle. Lamartine s'y accroche, s'y agrippe, éperdu. Et l'enfant meurt dans ses bras. Hélas ! Combien, de par le monde, ont demandé la même chose que les parents de Julia et n'ont pas été exaucés. Dieu se réserve donc de choisir les bénéficiaires de ses faveurs ? Ainsi l'inégalité est sa loi. Maître absolu de nos destins, il a bien le droit, n'est-ce pas, d'agir selon ses caprices... Le résultat, pour Lamartine, fut la rupture. A l'égard du catholicisme, Lamartine, auteur, en 1829, d'un *Hymne au Christ* passionné, demeurera désormais, et jusqu'à la fin de sa vie consciente, séparé, irréconciliable.

Que j'en ai rencontré, sur ma route, d'hommes et de femmes qui m'ont conté la même histoire vécue ! Un malheur les a détachés de la foi, dans l'indignation et le déssillement, comme si la preuve, pour eux, était faite que tout ce qu'ils ont cru jusqu'alors n'était que rêverie et sottises.

Pour dix *ex-voto* dans les sanctuaires, des milliers,

des millions de vœux formés en vain. Un océan de déconvenues. D'où le ton nouveau, inédit des apologistes : *«Humilité de Dieu», «Faiblesse»* de ce Tout-Puissant si démuni. Je n'aime pas ces volte-face et ces plaidoyers attendris qui succèdent à tant d'amplifications grandioses. J'aime en revanche ces longs silences que ménage, dans ses *«offices»,* la liturgie de Taizé. Le contraire de l'hystérie, sur la colline. Pas de transes. Pas de bras levés, ni de cris : *«Jésus ! Jésus !»* Une vie intérieure. Un approfondissement de soi-même. Prier, pour moi, c'est avant tout une attestation muette ; ceci, sans paroles : «Je ne sais que vous dire, Seigneur, sinon que je consens, que je veux être, tâcher d'être, moins égoïste, moins attaché à tout cela qui n'est pas vous. Vous n'êtes point ce "*tout autre*" où certains vous emprisonnent ; mais cette part de nous-mêmes qui ne cède pas aux repliements de la sécheresse, qui veut "servir", qui préfère la générosité, cette part de moi-même qui est vous et par quoi je suis ce que je suis ; une créature humaine.» Je ne demande rien. C'est moi qui m'offre. Je *«m'en remets»,* quant à ce que peut être ma destinée terrestre. J'ai peur de la souffrance, mais pas du tout peur de la mort. Je pense que si ma foi est illusion, je ne serai même pas déçu puisque tout s'évanouira sans même que j'en aie conscience ; mais, si je ne me suis pas trompé, si j'ai eu raison de «croire», ce qui m'arrivera sera passionnant. Je pense comme Péguy, dans un de ses meilleurs textes : *«Les prières qui ne sont pas dites, les mots qui ne sont pas prononcés»,* moi, dit Dieu, *"je les entends"; ces obscurs mouvements du cœur, les obscurs bons mouvements, les secrets bons mouve-*

ments qui jaillissent inconsciemment [...] *et inconsciemment montent vers moi »*, je les recueille *« dit Dieu »*, et Péguy fait dire encore, à propos des hommes, au Dieu qu'il imagine et qu'il aime : *« Je ne leur en demande pas trop ; je ne leur demande que leur cœur. Quand j'ai le cœur, je trouve que c'est bien. »*

André Chouraqui, dans un article amusant et profond qu'il publia en 1978 [1], mettait en cause, à l'origine des méfaits théologiques, *« les rabbins d'Alexandrie »* et le déplorable travail auquel, selon lui, ces docteurs auraient procédé, *« voici plus de vingt-deux siècles »*. Chouraqui donnait la parole à Celui qui, d'abord, était l'innommé sous l'imprononçable tétragramme Y H V H ; *« innommé,* dit-il, amer et nostalgique, *je désignais la source ; nommé, je devins concept. »* Les rabbins d'Alexandrie inventèrent de m'appeler *« Dieu » ;* ce sont eux *« qui m'ont joué ce tour » ;* ils m'ont baptisé *« Théos »* — un lointain dérivé de *« Zeus »* —, moi qui *« ne m'étais révélé au monde que pour mettre fin à des mythes ! » ; « une grande partie de mes malheurs »* vint de ceux qui se donnèrent pour tâche de me définir et de m'expliquer *« sans y rien entendre »*. Soyons-en bien convaincu : *« Dieu »* n'est jamais, dans notre idiome, qu'un pseudonyme. Sagesse de saint Thomas quand il recourt à cette admirable périphrase *« Hoc quod cognominamus Deum » ;* autrement dit la totalité vivante de ce que nos balbutiements appellent justice, solidarité, bonté,

1. *Le Monde,* 5 décembre 1978.

amour. Mais c'est là un Dieu *« sans contours »* et la créature humaine, telle qu'elle est, a besoin, pour chérir un être, de le voir, de le toucher. C'est pourquoi le Nazaréen qui est bien, lui, *« quelqu'un »,* et qui révèle *« toute la quantité de Dieu que peut contenir un homme »* (Hugo), se propose, dans sa transparence, pour servir au Dieu-Esprit[1] de présence visible et de voie d'accès. Dans la personne et dans l'action de Nazaréen, Dieu lui-même se montre d'une manière suprême.

« Comment ne pas l'aimer ? », ce témoin rayonnant, s'écrie, après tant d'autres, Petru Dumitriu. Et ce repas (*« cène »,* la Cène) qu'il a demandé à ceux qui l'aimaient, quand il ne sera plus parmi eux, de prendre en commun ainsi qu'il faisait avec eux, parlant du pain comme de son corps et du vin comme de son sang, c'est à la fois une commémoration et un merci ; l'ardent entretien du souvenir, l'occasion, pour ses disciples, de se rappeler, de revivre les heures où il était là. *« Faites ceci en mémoire de moi »,* gardez ma mémoire, disait Jésus, demandait Jésus. Ne m'oubliez pas ! Et je veux si peu l'oublier que tout mon désir est de rejoindre, dans leur joie transfigurante, ceux qui l'écoutaient, le regardaient.

Le lundi de Pâques 1778, dans l'après-midi, Jean-Jacques Rousseau, avec Bernardin de Saint-Pierre, se rendit au mont Valérien, où se trouvait alors un couvent. Les moines chantaient, et Jean-Jacques entra. Et Bernardin rapporte : *« Quand nous sortîmes, M. Rous-*

1. *« Dieu est esprit »,* dit le Nazaréen, à la Samaritaine dans ce texte culminant du quatrième évangile (4,24), où le messie (« Je le suis, moi qui te parle » : 4,26) enseigne que Dieu ne demande pas à être adoré dans tel temple ou dans tel lieu, mais *« en esprit et en vérité ».*

seau me prit le bras et, me le serrant fortement, il me dit : Aujourd'hui j'ai compris ce qui est écrit dans l'Évangile : Quand plusieurs se réunissent en mon nom, je suis là, au milieu d'eux. » « Je suis là. » Quelle assertion incroyable ! Littérature émotive. Et cependant, pourquoi pas ? Si l'on pense, comme je le fais (et comme le disait Tolstoï) que, *« plus il y a d'amour dans l'homme* (il voulait dire de bonne volonté), *plus l'homme existe »,* pourquoi ne pas croire que ce Christ si plein de Dieu, quand on prononce les mots qu'il requérait de Pierre, existe, présence vivante et concrète, en même temps qu'en nous, à côté de nous ?

Quand comprendra-t-on que le christianisme n'est pas un clan où l'on entre en s'y inscrivant, avec cotisation, carte de membre, et badge au revers du veston. Ni une firme avec ses rabatteurs, ni un appareil avec ses fonctionnaires. Que veut dire, étymologiquement, *« Église catholique » ?* Deux mots grecs, dont le premier signifie *« réunion », « groupement »* (*ekklesia* est un terme profane, sans coloration religieuse) et dont le second signifie *« universel ».* L'Église catholique, c'est la communauté universelle des hommes de bonne volonté ; de ceux qui, au moins un peu, au moins de temps à autre, ne pensent pas exclusivement au plaisir et à leur compte en banque, ceux qui, parfois au moins, songent à autrui, à la justice, à la bonté. *« Tout ce qui monte converge »,* enseignait Teilhard de Chardin. A jamais vivant en moi le souvenir de cette promenade, en 1938, dans la nuit égyptienne, et sous un clair de lune d'une intensité inouïe, cette promenade au bord de la Helwa, près d'Héliopolis, au cours de laquelle Massignon me parlait, comme lui seul savait le faire, de la vie et du martyre d'Al Hallaj, le « saint » musulman. La sagesse hindoue, si lumineuse et si profonde, j'ai pu m'en approcher aussi, mieux qu'à travers les lectures, grâce à trois témoignages, à divers moments de mon existence, et je sais maintenant qui était et ce qu'a à nous dire un Ramana Maharshi[1]. Ce que Claudel entrevoyait de Lao-Tseu le touchait, le remuait. Se scandalisera qui voudra —pas moi— de ce que le patriarche Athénagoras a dit un jour à Olivier Clément : *« Parfois je me sens de toutes les religions. »* Un vieux prêtre, jadis passionné de théologie, en était venu, devant telle « pénitente » dévorée de scrupules, à dire, expressément et du fond de lui-même : *« Laissez donc la religion tranquille. Contentez-vous de répondre à chaque instant, aux meilleures exigences qui sont en vous ; c'est ça servir Dieu. »* Si vous le faites, dès que vous le faites, vous êtes *« déjà dans le Royaume ».*

Dans son essai sur *l'Armée nouvelle,* Jaurès, au chapitre X, ne craint pas, dépassant les problèmes immédiats, d'aborder la métaphysique. Soucieux de ne point cabrer par une affirmation abrupte ceux qu'il voulait convaincre mais dont il connaissait et ne comprenait que trop les réflexes hostiles, il préféra le demi-mot, l'indication suggérée, et se borna aux mots que voici : *« J'ai sur ce monde si cruellement ambigu une arrière-pensée sans laquelle la vie de l'esprit me semblerait à peine tolérable à la race humaine. » « Ce monde si cruellement ambigu »,* c'est devant lui, sous ses pas, l'énorme question du Mal et de Dieu et de leur déroutante coexistence.

1. Cf. Henri Hartung, *Présence de Ramana Maharshi,* Paris, Éd. du Cerf, 1980.

Aucune énigme quant au mal que les hommes se font à eux-mêmes et dont ils sont responsables dans l'atrocité de la guerre. C'est notre affaire. Mais la souffrance des innocents, mais les enfants difformes, mais les microbes et les virus, mais les catastrophes naturelles ? *« Le ciel et la terre sont emplis de ta gloire »,* dit à Dieu une oraison dominicale. Vraiment ? Surabondent les documents photographiques pour confirmer — n'est-ce pas ? — ce verset, qu'ils viennent des Antilles, du Sahel ou de l'Ouganda. Le tremblement de terre de Lisbonne, le jour de la Toussaint 1755, quand les églises étaient pleines et que le massacre, en conséquence, fut particulièrement réussi, cet immense malheur collectif fit au moins un heureux : Voltaire, tant il apportait d'eau — de sang, veux-je dire — à son moulin grondant. *« La Providence en a dans le cul »,* s'ébaudissait avec élégance le banquier genevois Du Pan, grand admirateur de l'homme des Délices, en savourant son *Désastre de Lisbonne.* Quittons ces altitudes pour redescendre à Hugo, Hugo le croyant, que telles sombres réalités effarent. A cette mère qui voit agoniser son enfant, Hugo prête ce cri qu'elle jette, ravagée, au visage du prêtre venu l'assister. *« Qu'est-ce que votre Dieu fait pendant ce temps-là ? »* Penché lui-même sur un berceau, le vieux poète qui apprend *« l'art d'être grand-père »,* contemple ce tout-petit, repu après la tétée, qui dort et qui *« rit aux anges ». « Cette innocence souriant à l'infini* [...]. *Si le malheur arrive, ce sera un abus de confiance. »* Et il arrivera, c'est certain, le malheur ; parce que « c'est la vie », parce que la vie est ainsi faite. De Hugo encore, ces lignes écrites à Guernesey, dans une lettre ; *« Il pleut ; il pleut sur la mer. A quoi bon ? Le Sahara a soif et réclame. Ce n'est, tout bonnement, que l'histoire universelle, plus vraie et plus courte que celle de Bossuet.»* La Providence, écrit Marcel Légaut, est un postulat qu'aucun regard sur le monde tel quel *«ne peut rendre même vraisemblable».* Je me souviens du vieux Claudel sous les marronniers de Brangues. Je lui parlais du Mal ; je l'interrogeais. Il regardait ailleurs, non pas en haut vers les feuilles et le ciel, mais du côté des grands tilleuls le long de la prairie. Il ne me répondait rien. Puis il se décida, bref et rude : *«le casse-tête... Je ne sais pas. Je dis Oui dans le noir.»* L'abbé Pierre, dans son petit livre *La faim interpelle l'Église,* s'impatiente, à juste titre et en honnête homme, des explications qui n'expliquent rien —à la Maritain dissertant sur ce Mal qui n'est que manque, absence, vide ; le Bien seul existe ; le Mal est insubstantiel, une irréalité. Qu'il aille un peu tenir ces propos, d'une parfaite technicité conceptuelle, à qui l'endure, dans sa chair, ce Mal, paraît-il privé d'être ! Un dieu créateur, un Dieu Père, un Dieu Amour, qui non seulement permet, mais organise ces abominations... Pas d'issue. Les branches de la pince referment sur nous leur prison hermétique : ou Dieu n'est pas le Bon Dieu, ou il n'est pas le Tout-Puissant. D'où le verdict de Camus : *«La seule excuse de Dieu, c'est qu'il n'existe pas.»*

Schweitzer gémissait : *«La nature est une tuerie* [les créatures s'entre-dévorent, un meurtre permanent et universel]. *Comment comprendre que le même Dieu a fait cette nature terrifiante et nous a mis dans le cœur cette bonne volonté et cet amour ?»* C'est poser comme il faut la question. Car les deux choses sont également vraies : un monde où règne la souffrance indue ; et, non moins réelle, la connaissance par contact d'une force attractive et bonne, d'un pôle de tendresse et de générosité, d'un aimant-aimant ; là se situe l'ambiguïté fondamentale. Le Nazaréen n'a rien dit sur le Mal. Il s'est contenté de s'y soumettre, allant droit au supplice en toute connaissance de cause ; lorsqu'il monte à Jérusalem, il sait ce qui l'attend ; il pouvait ne pas accomplir cette provocation qui aboutira pour lui à la croix. Mais il a pris délibérément ce parti dont il connaît d'avance la sanction. Tel est l'enchevêtrement du problème que quelqu'un m'a dit un jour ; « Et si ce que l'on nomme incarnation et rédemption était le repentir de Dieu, sa participation volontaire à notre drame, pour nous montrer que c'est ainsi, qu'il n'y peut rien, que lui-même... » La vie, quoi qu'on en fasse, et quels qu'en soient les enchantements éphémères, est toujours, au total, sinistre. Étiemble, un des êtres les plus nobles que j'ai rencontrés, Étiemble naguère si violemment ennemi de la « Superstition », a répondu, en 1978, à une enquête sur le Christ en des termes où ne reparaît plus rien de son ancienne et furieuse aversion. Le crucifié, dit-il, je vois en lui à présent *« l'image exemplaire de notre misérable espèce*[1] *».* Au problème du Mal, écrivait Mauriac dans son *Bloc-Notes* le 25 décembre 1967, je n'ai jamais trouvé *« aucune réponse qui puisse satisfaire ma raison » ;* mais, chrétien en dépit de tout, et pariant pour l'Espérance, je suis *« comme un homme dont les vêtements sont en feu et*

1. *Pour vous, qui est Jésus-Christ ? »,* Paris, Éd. du Cerf, 1978, p. 73.

qui se jetterait dans la mer». L'Espérance, dit Sulivan, c'est *«ce qui est au-delà de l'espoir».* Une fois de plus laissons la parole à Hugo : Dieu, *«c'est l'incompréhensible incontestable».*

Mai 68 fut avant tout le fiévreux témoignage d'un *«manque d'être».* Cette jeunesse soulevée, bien au-delà des indispensables réformes, réclamait une justification de l'existence, une raison au fait d'exister, un but à la vie, intelligible, attirant, comblant. Certes, elle avait horreur des impérialismes et de ce colonialisme où les nantis occidentaux partirent à la conquête du monde pour s'enrichir des dépouilles de ceux dont on pensait qu'ils ne pourraient pas se défendre ; horreur aussi de ce «libéralisme» économique fondé sur l'exploitation systématique du travail d'autrui. Mais elle cherchait bien plus que l'élimination de ce scandale. Elle se posait, au vrai, la question du pourquoi vivre. Chateaubriand partageait en 1831 l'indignation des révolutionnaires de son temps en présence des iniquités sociales : *«Et vous vous figurez,* lançait-il aux conservateurs, *qu'une telle distribution de la propriété peut subsister ? Et vous pensez qu'elle ne justifie pas les soulèvements populaires ?»* Mais ces protestataires qu'il approuvait et soutenait, il se désolait en même temps de les voir âprement fermés aux vérités libératrices dont, à ses yeux, le christianisme était porteur. *«Je comprends ce qu'ils comprennent ; ils ne comprennent pas ce que je comprends.»*

En novembre 1978, j'ai lu avec le plus vif intérêt, je dois dire même avec émotion, un texte de Michel Bosquet intitulé *Ce qui nous manque pour être heureux* [1]. Ce monde mécaniste, asphyxiant, qui nous est de toutes parts proposé, et par tous les partis politiques, hélas, tous, même les plus généreux, avec leur commun langage de production-consommation, sa misère est de ne s'ouvrir sur rien qui soit de l'air pur. Et Michel Bosquet écrivait : *« Se demander quel sens a la vie, ou plus simplement, ce qui nous manque fondamentalement pour être heureux, ce ne sont plus des questions qui intéressent les seuls théologiens » ;* et il ajoutait : *« A reprocher aux formations politiques leur indifférence aux fins, on se fait traiter de néo-chrétien. »* Accusation dirimante, soupçon rédhibitoire auprès d'une certaine *intelligentsia* moderne — y compris les sectateurs de l'élitisme zoologique et de ces inclinations dont nous connaissons trop bien les effets ; ils haïssent ce Nazaréen deux fois, pour eux, exécrable, et parce qu'il appartenait à la vile, à l'abjecte petite plèbe des ouvriers manuels, et parce qu'il était juif [2]. Ce qui nous manque pour être heureux ? Bernanos répondait : *« refaire un pacte avec notre âme. »*

Avec une énergie salubre, Michel Le Bris, dans son *Paradis perdu* (1981), met en cause ces « encyclopé-

1. *Le Nouvel Observateur,* 11 novembre 1978.

2. On connaît la détestation de la *« nouvelle droite »* à l'égard de la *« pensée judéo-chrétienne ».* Dans son pamphlet, *Comment peut-on être païen,* Alain de Benoist reprend les anathèmes de Nietzsche (un homme dont il semble d'ailleurs méconnaître les profondeurs) sur la *« fable chrétienne »,* sur ce christianisme qui serait *« la pire des corruptions »,* une *« flétrissure »,* une *« gangrène », « l'antithèse de la vie ».*

distes» pour lesquels *«chaque retour de spiritualité dans l'espace qu'ils croyaient avoir libéré apparaissait comme une catastrophe».* Alors, au diable la tolérance ! *«Voltaire n'hésitera pas à diffamer Milton et, pour mieux le réduire, à falsifier ses citations. Avec Diderot, d'Alembert, d'Holbach, il en appelle à ses relations pour faire censurer, interdire et jeter en prison ses plus gênants contradicteurs.»* (J'ai rappelé que Voltaire fit mieux pour Jean-Jacques ; il alla, en effet, jusqu'à un essai, indirect, d'assassinat[1].) Et Le Bris s'amuse — tristement, tant ils sont *«à côté de la question»* — de *«ces livres qui paraissent aujourd'hui en rangs serrés»* et qui sont dus aux héritiers des *«philosophes»,* sur *«la foi qui tue, l'ignominie des chercheurs de Dieu, le complot des prêtres». «Devons-nous nécessairement mourir idiots,* demande Le Bris, *parce que nous sommes de gauche ?»* Et, poursuivait-il, si le mot *«Dieu» «était ce par quoi l'homme désigne cette dimension, en lui, qui, parce qu'elle transcende le social-historique, seule pourrait lui donner un sens» ?* Jean-Claude Guillebaud, de son côté, s'élève[2] contre le *«détournement»,* la scandaleuse *«déformation»* par Alain de Benoist de ce que pense et dit, en vérité, Mircéa Eliade pour qui *«c'est l'histoire des religions qui a les contenus les plus concrets»,* comme l'a très bien vu Michel Serres, lequel se dresse contre *«un certain impérialisme de la pensée dite scientifique» ;* et Le Bris est d'accord : Mircéa

1. Et Le Bris de citer la remarquable lettre de Diderot à Catherine II sur ces églises que l'on peut, à la rigueur, *«laisser subsister comme l'asile, ou les petites-maisons, d'une certaine espèce d'imbéciles».*

2. Dans *le Monde,* 10 mai 1981.

Eliade établit *« l'importance décisive du fait religieux* [1] ». Et voici J.-P. Dollé, dans son livre *Danser maintenant* (1981), qui crédite mai 68 d'un *« examen rationnel de toutes les croyances, y compris la croyance à la rationalité ».* Voyons les choses en face, dit Dollé, la question posée en mai 68 était celle d'un *« après-politique théologique »* et Le Bris, lui aussi, tient que le mouvement de mai a *« pressenti quelque chose »* de semblable, et sort de ce *« brasier, en nous »* essentiel et inextinguible.

Avec le christianisme, une proposition permanente est faite à ce que Shakespeare, appelait, dans notre réalité d'homme, *« le cœur du cœur ».* Rien d'autre, l'affaire Jésus.

Que le message du Nazaréen puisse redevenir actuel, et perturbateur, je voudrais le croire ; mais, si l'entreprise ne relève pas de l'impossible, disons qu'elle s'apparente à un effort en direction des frontières les plus reculées de l'improbable. Bernanos écrivait, en 1942 : *« Faire exploser l'Évangile dans un monde saturé d'idées chrétiennes déformées, parfois même détournées de leur sens, cela ne se peut que par miracle. Réussirons-nous là où saint François d'Assise a échoué ? »* Je dois dire que je me sens très proche de ce croyant obstiné mais accablé qui publia, le 19 août 1978, dans *le Monde,* les lignes que voici : *« Les temps sont révolus. Notre Occident n'essaie même plus de donner le change et de*

1. Cf. *le Nouvel Observateur,* 5 mai 1981. Le Bris passerait difficilement pour un *« bigot »* lui qui note (avec exactitude) que l'Église *« moyen d'accès à la transcendance »* n'a eu, et n'a encore que trop tendance *« à se poser comme une fin en soi ».*

se faire passer pour chrétien [...]. *Alors, les chrétiens, redevenus minoritaires, redevenus des étrangers dans la cité, ont repris leur marche incertaine comme au temps de la bande à Jésus, portant le feu de la charité à travers le pays des morts*[1]. »

1. Ce texte est de Nicolas Saudray.

POSTFACE

Je relis une dernière fois ces pages avant de les remettre à l'imprimeur, et je m'aperçois qu'y fourmillent les citations, les références. Je n'y changerai rien, car je n'en ai pas honte. Si j'ai multiplié les allusions à Hugo, Jaurès, Jean-Jacques, Lamartine, Tolstoï, etc., c'est que je rencontrais chez eux des confirmations de ma pensée qui m'étaient un réconfort. Ces grands morts sont mes répondants.

Quant au sort du présent essai, il est prévisible. Du côté des sentinelles du fétichisme, l'affliction, les sévérités, les rappels à l'ordre — ou le silence calculé de l'étouffement. Et du côté des esprits forts, l'agacement et la dédaigneuse ironie. Quel *«prêche»* d'attardé ! Qui croit en Dieu est, de ce fait, en ces hauts parages, disqualifié.

Tant pis. Au terme de ma route, j'ai voulu apporter ma déposition sur l'aventure humaine telle que je la vois, après plus d'un demi-siècle d'enquête, de réflexion et de méditations ; quelque chose comme un témoignage testamentaire.

TABLE

IMP.-RELIURE MAME, TOURS (9-82)
DÉPÔT LÉGAL, MARS 1982. N° 6113-8 (9385)

DU MÊME AUTEUR

PUBLICATIONS D'INÉDITS

LAMARTINE : *Les Visions,* Paris, Belles-Lettres, 1936 ; *Lettres des années sombres, 1852-1867,* Fribourg, LUF, 1942 ; *Lettres inédites, 1825-1851,* Porrentruy, Portes de France, 1944.

HUGO : *Pierres,* Genève, Milieu du Monde, 1951 ; *Souvenirs personnels, 1848-1851,* Paris, Gallimard, 1952 ; *Strophes inédites,* Neuchâtel, Ides et Calendes, 1952 ; *Carnets intimes, 1870-1871,* Paris, Gallimard, 1953 ; *Journal, 1830-1848,* Paris, Gallimard, 1954.

HISTOIRE LITTÉRAIRE

Le « Jocelyn » de Lamartine, Paris, Boivin, 1936.

Flaubert devant la vie et devant Dieu, Paris, Plon, 1939 ; 2e édition revue et corrigée, Bruxelles, La Renaissance du Livre, 1963.

Lamartine, l'homme et l'œuvre, Paris, Hatier, 1940.

Connaissance de Lamartine, Fribourg, LUF, 1942.

« Cette affaire infernale » (Rousseau-Hume), Paris, Plon, 1942.

Un homme, deux ombres (Rousseau, Julie, Sophie), Genève, Milieu du Monde, 1943.

Les Affaires de l'Ermitage, 1756-1757, Genève, Annales J.-J. Rousseau, 1943.

La Bataille de Dieu (Lamennais, Lamartine, Ozanam, Hugo), Genève, Milieu du Monde, 1944.

Les Écrivains français et la Pologne, Genève, Milieu du Monde, 1945.

Lamartine et la question sociale, Paris, Plon, 1946.

L'Humour de Victor Hugo, Boudry, La Baconnière, 1951.

Hugo et la sexualité, Paris, Gallimard, 1954.

Claudel et son art d'écrire, Paris, Gallimard, 1955.

M. de Vigny, homme d'ordre et poète, Paris, Gallimard, 1955.

A vrai dire, Paris, Gallimard, 1956.

Benjamin Constant muscadin, Paris, Gallimard, 1958.

Mme de Staël, Benjamin Constant et Napoléon, Paris, Plon, 1959 ; 3e édition revue, corrigée, augmentée, Paris, Le Pavillon, 1970.

Zola, légende et vérité, Paris, Julliard, 1960.

Éclaircissements, Paris, Gallimard, 1961.

Présentation des « Rougon-Macquart », Paris, Gallimard, 1964.

L'Homme des « Mémoires d'outre-tombe », Paris, Gallimard, 1965.
Le « Converti » Paul Claudel, Paris, Gallimard, 1968.
Pas à pas, Paris, Gallimard, 1969.
La Liaison Musset-Sand, Paris, Gallimard, 1972.
Précisions, Paris, Gallimard, 1973.
Regards sur Bernanos, Paris, Gallimard, 1976.
Sulivan, ou la parole libératrice, Paris, Gallimard, 1977.
Charles Péguy, Paris, Éd. du Seuil, 1981.

HISTOIRE

Histoire des catholiques français au XIXe *siècle,* Genève, Milieu du Monde, 1947.
Lamartine en 1948, Paris, PU, 1948.
Le Coup du 2 décembre, Paris, Gallimard, 1951.
Les Origines de la Commune : cette curieuse guerre de 70, Paris, Gallimard, 1956 ; *L'Héroïque Défense de Paris,* Paris, Gallimard, 1959 ; *La Capitulation,* Paris, Gallimard, 1960.
L'Énigme Esterhazy, Paris, Gallimard, 1962.
L'Arrière-pensée de Jaurès, Paris, Gallimard, 1966.
La Première Résurrection de la République, 24 février 1848, Paris, Gallimard, 1967.
Napoléon tel quel, Paris, Trévise, 1969.
Jeanne, dite Jeanne d'Arc, Paris, Gallimard, 1970.
L'Avènement de M. Thiers et Réflexions sur la Commune, Paris, Gallimard, 1971.
Nationalistes et Nationaux, Paris, Gallimard, 1974.

ESSAIS ET RÉCITS

Par notre faute, Paris, Laffont, 1946.
Une histoire de l'autre monde, Neuchâtel, Ides et Calendes, 1942.
Reste avec nous, Boudry, La Baconnière, 1944.
Rappelle-toi, petit, Porrentruy, Portes de France, 1945.
Cette nuit-là, Neuchâtel, Le Griffon, 1949.